- FAIT MAISON -

RECETTES POUR BÉBÉS

0-3 ans

Laura Annaert,
Mamanchef

- FAIT MAISON -

RECETTES POUR BÉBÉS

Photographies : Claire Curt
Stylisme : Garlone Bardel

hachette
CUISINE

- FAIT MAISON -

SOMMAIRE

- Philosophie de MamanChef
aux jeunes parents -

Deux facteurs contribuent essentiellement au développement de l'enfant : les soins corporels et l'amour qui contribuent à son épanouissement, ainsi qu'une alimentation équilibrée qui permet une bonne croissance.

Dès les premières tétées ou biberons, chaque parent perçoit, outre le bien-être de la satiété, l'importance du contact avec l'enfant. Le toucher et la chaleur de la peau, les odeurs permutées, les regards échangés, sont fondateurs du lien intime qui s'installe ainsi entre le parent et l'enfant. La fréquence des biberons et la disponibilité qu'ils nécessitent font des premiers mois de bébé une période privilégiée d'échange avec la mère et le père. À ce stade, vivre et manger se confondent pour lui, et son appréhension du monde passe en grande partie par les moments d'interaction que sont les tétées. C'est par sa bouche que bébé appréhende le plaisir, le goût ou le dégoût, par la digestion qu'il découvre son corps de façon inconsciente.

Afin de préserver l'harmonie des premiers mois, s'investir dans une bonne diversification alimentaire présente des avantages essentiels.

L'odorat et les sens de bébé se développent en goûtant les premières purées, jus et potages. Votre sourire et souplesse l'accompagnent dans cette découverte, mieux qu'une autorité mal comprise d'ailleurs. Toutefois, une purée refusée un jour sera représentée quelques jours plus tard, peut-être sous une autre forme. Apprendre à connaître votre enfant, petit ou gros mangeur, sensible aux odeurs, curieux ou fragile de l'intestin, permet de mieux l'accepter, et de moins s'inquiéter. Car, à tort, on s'inquiète d'un petit mangeur, alors qu'aucun enfant ne s'est jamais laissé mourir de faim.

S'approprier ce que mange l'enfant permet aussi de contrôler la teneur en sucre et en matières grasses dans son alimentation. Il a été prouvé qu'ils sont les premières causes des dérèglements les plus fréquents comme le surpoids ou encore le diabète. Une cuisine variée à base de produits frais et naturels, fruits et légumes, ou céréales et légumineuses qui peuvent prendre le pas sur les protéines animales, lui bénéficiera pour la vie.

La cuisine des parents restera un marqueur, l'amour et les émotions partagées accompagneront l'enfant devenu grand. Pour toujours.

REAM
A MOUSE
DOES THE MOUSE
DREAM HE IS
ME?

- RECOMMANDATIONS POUR LA DIVERSIFICATION -

LA DIVERSIFICATION ALIMENTAIRE

À partir de 3 mois, le lait seul ne suffit plus à bébé. Il a besoin d'autres aliments. La diversification alimentaire commence avec des bouillies, à base de fruits, de légumes et de lait, auxquelles peuvent s'ajouter un peu de farine. Privilégiez dans un premier temps les farines sans gluten : riz, maïs, orge, avoine... Le gluten n'est en effet pas toléré par tous les enfants.

Toutes les informations qui suivent sont indicatives. Respectez bien évidemment les prescriptions de diversification de votre pédiatre, en fonction des éventuelles intolérances, du poids et de la sensibilité de votre bébé.

Fruits : sous forme de compotes mixées, les fruits sont à introduire dès 5-6 mois. Dès 7 mois, bébé peut apprécier des fruits crus, bien mûrs, que vous pouvez écraser à la fourchette. Ils sont riches en vitamines.

Légumes : ces aliments se retrouvent au menu de bébé dès 5 mois. Pour les légumes frais, comptez environ 50 à 100 g entre 5 et 6 mois. De 6 à 12 mois, augmentez la quantité jusqu'à 200-240 g, pour le repas du midi et le repas du soir. Les légumes apportent glucides, vitamines et sels minéraux.

Viandes et poissons : vous pouvez en donner à bébé à partir de 6 mois à raison de 10 à 15 g par repas. Augmentez ensuite progressivement les quantités pour arriver à 25 à 35 g entre 24 et 36 mois. La viande blanche est à privilégier. Quant au poisson, choisissez-le maigre : colin, lotte, sole... Viandes et poissons sont des sources de protéines, nécessaires au développement de bébé.

Œuf : attention, le blanc de l'œuf peut être responsable d'allergie. Ne l'introduisez dans l'alimentation de bébé qu'à partir de 9 mois. Le jaune peut être donné à partir de 6 mois ; il est source de lipides et est riche en vitamine A et D.

Produits laitiers : riches en calcium, les produits laitiers sont indispensables à la construction osseuse de bébé et le lait est un élément essentiel de l'alimentation de votre enfant. Les bébés qui n'y sont pas intolérants en consomment quotidiennement jusqu'à 2 ans. Il peut ensuite être remplacé progressivement par du fromage. Dès 9 mois, vous pouvez ajouter une petite cuillerée de fromage frais pour enrichir des purées de légumes. Vers un an, vous pouvez commencer à titilles les papilles de bébé avec des fromages au caractère gustatif plus intéressant : comté, beaufort, entre-deux, cabécou, etc.

Dès que votre enfant a l'âge requis, donnez-lui des laitages autres que le lait : petit-suisse, yaourt, fromage blanc, fromages. N'hésitez pas à mélanger laitages et fruits.

Pommes de terre, pâtes, semoule et riz : les pommes de terre, qui peuvent être données à partir de 5 mois, sont d'excellents liants et rassasiants pour toutes les purées. Les pâtes, la semoule et le riz peuvent être associées à des purées de légumes ou du lait dès 7 mois.

Légumes secs : les légumes secs, contrairement aux légumes frais, sont à donner à partir de 15 mois environ. Servez-les écrasés ou en purée. Combinées avec un féculent, ils présentent une source de protéine proche de celle de la viande ou du poisson bien assimilable et moins onéreux que ces derniers.

Pains et biscuits : dès 6 mois, vous pouvez donner un biscuit ou du pain à bébé. Privilégiez le pain au levain de campagne plus consistants que le pain de mie afin qu'en grandissant bébé prenne l'habitude de texture dans les aliments.

Matières grasses : à partir de 6 mois, vous pouvez ajouter de petites quantités de matière grasse dans l'assiette de bébé. Une cuillerée à café d'huile végétale vierge (olive, noix, colza) ou une petite noisette de beurre suffit à chaque repas, jusqu'aux 3 ans de votre enfant. Le gras conduisant la saveur, il est un allié pour préparer des purées savoureuses.

PETIT RÉCAPITULATIF UTILE

Lait : lait maternel ou 1er âge, dès la naissance ; lait 2e âge à partir de 7 mois

Produits laitiers : petit-suisse, yaourt, fromage blanc nature dès 6 mois ; fromages à partir de 24 mois

Fruits : dès 5 mois, sous forme de compotes bien mixées, puis écrasés. Crus et en morceaux à partir de 12-15 mois

Légumes : dès 5 mois, sous forme de purées bien mixées, puis écrasés

Légumes secs : dès 15 mois

Pain : dès 6 mois

Viande, poisson : dès 6 mois, mixés dans les purées

Œuf : dès 6 mois pour le jaune ; dès 9 mois pour le blanc

Pomme de terre : dès 5 mois sous forme de purée, puis en petits morceaux ou écrasées

- S'ÉQUIPER ET S'ORGANISER EN CUISINE -

Pour les premiers repas, il vous faudra un cuiseur vapeur et un mixeur pour les potages et les purées.
Vous trouverez ces articles spécialement conçus pour des portions de bébé. Si vous profitez de la diversification de bébé pour adopter une alimentation saine pour vous, dirigez votre choix par exemple vers un cuiseur vapeur qui, outre son emploi de stérilisateur de biberons, permet de cuire légumes et poissons pour toute la famille.
Plusieurs noms d'ustensiles sont précédés de l'adjectif « petit ». Ce mot a son importance car dans une cuisine citadine, les ustensiles à la bonne taille présentent un net avantage pour le rangement et, côté vaisselle, ils sont plus rapides à nettoyer.

- **Économe :** l'outil indispensable pour éplucher rapidement carottes et pommes de terre. Il permet aussi de prélever des copeaux sur un morceau de fromage.
- **Couteau d'office :** bien aiguisé, il permet une découpe nette des cubes de légumes.
- **Centrifugeuse :** pour les jus frais, de fruits comme de légumes.
- **Paire de ciseaux :** comme leur nom l'indique, les ciseaux sont indispensables pour ciseler les fines herbes, mais aussi pour ouvrir des emballages.
- **Presse-purée à manche** (plat avec des trous ou avec un zigzag en métal) : pour écraser les légumes cuits en purée avec des petits morceaux.

- **Petits pots ou sacs en plastique :** pour réfrigérer ou congeler les aliments prédécoupés ou cuits en les isolant des odeurs et microbes environnants.

- **Bol mixeur :** pour liquéfier les aliments jusqu'à l'apparition des dents de bébé qui lui permettront de découper des petits morceaux à partir du 8e mois.

- **Cuiseur vapeur :** afin de préserver les vitamines et les propriétés gustatives des aliments à cuire.

- **Petite passoire :** pour filtrer rapidement.

- **Petites râpes :** parfois avec des trous de différentes tailles, les râpes sont utiles pour râper les carottes, le fromage ou prélever le zeste d'agrume.

- **Petit poêlon à manche avec couvercle :** l'indispensable pour faire mijoter à petit feu une petite quantité d'aliments.

- **Tapis de cuisson ou papier de cuisson :** pour poser ou emballer biscuits, pâtes ou papillotes au four.

CUISSONS

- **À la vapeur :** elle permet de préserver toute la saveur naturelle et la plupart des vitamines des aliments.

- **En papillote :** mieux qu'à la vapeur dont elle a les mêmes propriétés, on peut y ajouter les premières saveurs à faire découvrir : herbes fraîches (cerfeuil, basilic ou persil) ou épices douces comme le curcuma.

- **Sauté ou poêlé :** en présence d'une matière grasse, huile ou beurre, cette cuisson apporte un goût particulier et assez gourmand aux aliments comme les légumes, la viande ou le poisson.

- **En potage ou mijoté :** cette cuisson présente l'avantage de fusionner les aliments et les condiments lors d'une cuisson lente. Les textures deviennent onctueuses et les goûts moins tranchés et plus savoureux, deux caractéristiques appréciées par les petits enfants.

- **Frit :** la cuisson dans l'huile apporte craquant et texture huileuse. Elle est appréciée par la plupart des enfants mais à limiter à une fois par semaine.

- **À l'eau, au bouillon ou au lait :** une cuisson dont le jus peut être mixé avec les légumes cuits, ce qui parfume le plat, dans le cas du bouillon ou du lait.

- **En compote :** une cuisson menée en douceur qui permet à bébé de digérer tous les fruits.

- **Confit :** cette cuisson longue permet une concentration des saveurs par l'évaporation de l'humidité présente. Elle concentre de ce fait également le sucre des fruits ou les matières grasses de la viande.

Et pour finir, le **cru** permet de faire goûter la texture et la saveur originelles des aliments. Attention toutefois aux fibres ou aux amidons qui ne deviennent digestes qu'avec la cuisson comme celles de la banane plantain.

À TABLE

Afin que ce moment soit un plaisir, prenons bébé pour ce qu'il est : un être qui découvre. Il touche les aliments, recrache ce qu'il n'apprécie pas, vérifie le sens de la gravité en faisant tomber son morceau de pain depuis sa chaise haute. C'est donc muni de patience, d'une bonne dose d'humour, et j'allais oublier, d'une balayette, que l'on accompagnera ses premiers repas.

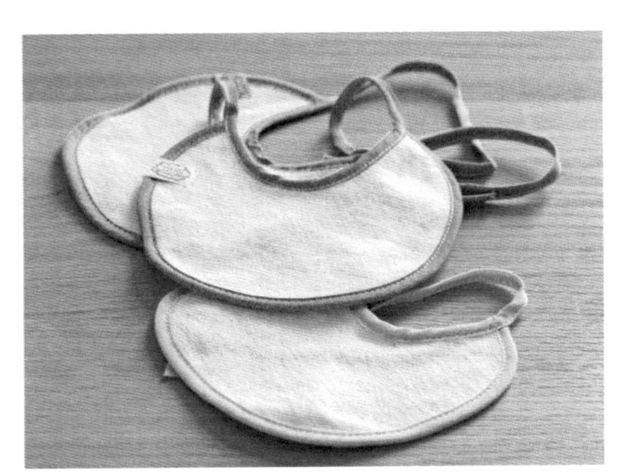

Utile

Le biberon servira aux premières purées grâce au trou de la tétine agrandi ; bavoir ou tablier ; chaise haute de laquelle bébé ne peut tomber ; gobelet à eau avec couvercle et anse ; assiette, bol à purée et couverts incassables.
Toute distraction virtuelle est à bannir pour privilégier la communication avec bébé.

- FAIT MAISON -

DE 4 à 5 MOIS

FACILE
Pour **1** portion
10 min de préparation
Coût €

À partir de **4** mois • Type de repas : boisson

MON PREMIER JUS DE LÉGUMES

1 carotte nouvelle • Quelques cuillerées à soupe d'eau minérale • Quelques gouttes de jus de citron frais

Matériel
Centrifugeuse

1. Épluchez la carotte à l'économe. Coupez-la en morceaux que vous passez à la centrifugeuse.

2. Diluez 1 cuil. à soupe de jus (à augmenter au fil des semaines) dans un peu d'eau minérale à température ambiante et ajoutez quelques gouttes de jus de citron, selon votre goût.

3. Selon l'aisance de bébé, donnez le jus dilué à la petite cuillère ou au biberon.

CONSEIL
Les jus maison se préparent avec des légumes biologiques, de cultivateur connu, ou mieux, de son propre potager. Extraire le jus au moment de le faire déguster permet d'en préserver toute la saveur et les vitamines.

VARIANTES
Selon la saison, essayez la tomate, le concombre ou le fenouil.

AU FIL DES MOIS
Vous pouvez proposer des mélanges pomme-betterave ou pomme-céleri en branche. Ajouter quelques gouttes de citron, aux vertus désinfectantes, permet de rectifier la saveur des jus.

FACILE
Pour **1** portion
10 min de préparation
Coût €

À partir de **4** mois • Type de repas : boisson

MON PREMIER JUS DE FRUITS

Pomme, poire, abricot, pêche, clémentine, orange, raisin ou pamplemousse rose • Quelques cuil. à soupe d'eau minérale • 1 pincée de sucre de canne

Matériel
Presse-fruits • Centrifugeuse

1. Commencez avec un seul fruit de saison : orange, clémentine ou pomme, par exemple.

2. Passez l'agrume au presse-fruits ou plantez et remuez une fourchette dans le fruit coupé en deux pour le presser. Épluchez et épépinez la pomme ou la poire avant de les passer à la centrifugeuse.

3. Diluez 1 cuil. à soupe de jus (à augmenter au fil des jours) dans un peu d'eau minérale. Ajoutez une petite pincée de sucre si le jus vous paraît acide.

4. Donnez à la petite cuillère ou dans le biberon.

PRATIQUE
Au marché, lorsque vous achetez des fruits pour la semaine, apprenez à évaluer leur qualité à leur aspect et à leur texture. N'hésitez pas à poser des questions au maraîcher pour vous renseigner sur les provenances, la saisonnalité et les caractéristiques organoleptiques de ses produits.

FACILE

Pour **1** portion
5 min de préparation
15 min de repos
Coût €

À partir de **3** mois • Type de repas : boisson

BIBERON D'EAU, VARIANTES

1 - *½ anis étoilé ou badiane • 10 cl d'eau minérale • Quelques grains de sucre de canne*

Posez l'anis étoilé au fond du biberon et versez l'eau minérale chauffée dessus. Laissez infuser et tiédir ou refroidir. Enlevez l'étoile d'anis, ajoutez quelques grains de sucre et donnez à boire au biberon.

---

2 - *Quelques grains de sucre de canne • 1 cuil. à café d'eau de fleur d'oranger • 10 cl d'eau minérale à température ambiante*

Diluez le sucre de canne dans l'eau de fleur d'oranger et versez l'eau minérale dessus. Secouez avec vigueur pour faire fondre le sucre. Donnez à boire au biberon.

---

3 - *10 cl d'eau minérale • Quelques fleurs et feuilles de tilleul • Quelques grains de sucre de canne*

Faites bouillir l'eau et versez-la sur le tilleul. Laissez infuser quelques minutes et filtrez. Versez dans le biberon, ajoutez les grains de sucre et secouez. Veillez à ce que l'infusion soit à une température adaptée à bébé.

CONSEIL
Les biberons se boivent à température ambiante l'été, tièdes ou chauds en hiver. Beaucoup de plantes ont des vertus apaisantes et sont à ce titre intéressantes dès le plus jeune âge. Fleurs de sureau ou de tilleul, feuillage de verveine ou graines d'anis, sont autant d'idées pour des boissons naturelles.

PRODUIT
Le sucre de canne apporte des arômes caramélisés au biberon d'eau ou de tisane. Du miel doux, d'acacia ou de tilleul, sera toléré un peu plus tard, vers le 6e-7e mois.

eau
de
fleurs
d'
oranger

FACILE
Pour **1** portion
15 min de préparation
30 min de cuisson
Coût €

À partir de **5** mois • Type de repas : soupe

BOUILLON DE LÉGUMES, VARIANTES

Printemps-Été
½ poireau • 1 petite carotte • ¼ de navet nouveau blanc • 25 cl d'eau minérale • 1 feuille de laurier, 1 brin de persil

Automne-Hiver
150 g de chair épluchée de potiron • 1 carotte • 25 cl d'eau minérale • 1 brin de thym, 1 feuille de sauge

Matériel
Passoire ou tamis

1. Épluchez, rincez et coupez les légumes en petits morceaux. Portez l'eau minérale à ébullition et ajoutez-y les légumes ainsi que les herbes et les aromates. Couvrez et laissez cuire à frémissement pendant 20 min. Filtrez avec une passoire fine ou au tamis.

2. Versez le bouillon dans le biberon et donnez à bébé en veillant à ce que la température lui soit adaptée.

AU FIL DES MOIS
Au fil des saisons et de l'éveil de bébé, variez avec le haricot vert, le fenouil, la tomate ou la laitue.

PRATIQUE
Multipliez les ingrédients par 4 et congelez des portions de 15 à 20 cl pour plusieurs petits biberons. Ces bouillons peuvent aussi servir de base pour un biberon au lait maternisé et aux céréales.

FACILE
Pour **1** portion
10 min de préparation
25 min de cuisson
Coût €

À partir de **5** mois • Type de repas : potage

POTAGE COURGETTE, FENOUIL ET CAROTTE

1 carotte • ½ courgette • ½ cœur de fenouil • Les feuilles de 2 branches de cerfeuil • 1 noisette de beurre

Matériel
Mixeur

1. Épluchez la carotte. Lavez tous les légumes à l'eau citronnée, puis émincez-les grossièrement.

2. Mettez les légumes dans une casserole avec de l'eau et portez à ébullition. Laissez cuire environ 20 min. Piquez les légumes avec une fourchette pour vérifier qu'ils sont bien tendres.

3. Passez les légumes au mixeur avec la noisette de beurre. Servez au biberon avec une tétine à gros trou. Vérifiez que la température convienne à bébé en versant une goutte sur le dessus de votre main (le liquide doit être à la même température que votre peau).

4. Le potage peut être allongé avec de l'eau et complété avec quelques doses de lait maternisé.

AU FIL DES MOIS
Afin de répondre à la faim croissante de bébé, on peut ajouter au potage 1 cuil. de farine premier âge sans gluten (non sucrée). On ajoutera d'autres féculents, farines d'avoine ou de riz, et de la pomme de terre, vers le 4e mois, pour notamment permettre à bébé d'allonger ses nuits.

FACILE

Pour **1** portion
5 min de préparation
5 min de cuisson
Coût €

À partir de **4** mois • Type de repas : petit déjeuner, repas, céréales

BIBERON DE LAIT D'AVOINE

20 cl d'eau minérale • 2 cuil. à soupe rases de crème d'avoine • 5 doses de lait 2e âge • 1 pincée de sucre de canne (facultatif)

1. Mélangez l'eau et la crème d'avoine dans une petite casserole et faites chauffer. Laissez mijoter pendant à peu près 5 min, de façon à ce que la crème d'avoine se dilue bien.

2. Ajoutez le lait en poudre au fouet et laissez gonfler quelques minutes. Ajoutez 1 pincée de sucre si vous le désirez, puis versez dans le biberon et donnez à bébé.

3. Vous trouverez la consistance parfaite, c'est-à-dire ni trop épaisse ni trop liquide, au bout de quelques biberons. À vous d'ajuster le dosage. Vérifiez que la température convient à bébé en versant une goutte sur le dessus de votre main (le liquide doit être à la même température que votre peau).

PRODUIT
La crème d'avoine est la farine moulue très fine des grains d'avoine que l'on trouve la plupart du temps en magasin bio.

FACILE

Pour **1** portion
5 min de préparation
2 min de cuisson
5 min de repos
Coût €

À partir de **5** mois • Type de repas : petit déjeuner

BOUILLIE À LA SEMOULE DE BLÉ

15 cl d'eau minérale • 2 cuil. à soupe de semoule fine de blé ou de crème de maïs • 5 doses de lait 2e âge • 1 pincée de sucre de canne ou ¼ de cuil. à café de sirop d'érable

1. Portez l'eau à ébullition dans une petite casserole. Versez la semoule en pluie tout en mélangeant au fouet ou à la cuillère en bois pour éviter les grumeaux. Retirez du feu pour ajouter le lait en poudre.

2. Versez dans le bol de bébé et mélangez avec le sucre ou le sirop. Laissez gonfler quelques minutes.

3. Vérifiez la température avant de donner à bébé.

PRODUIT
La crème de maïs est une farine très fine de maïs que l'on trouve en magasin bio.

NUTRITION
Le lactose du lait et les glucides du maïs ont une saveur sucrée. L'apport supplémentaire de sucre, tel que l'ajout du sirop d'érable, est à modérer pour que bébé ne s'habitue ni à la saveur ni aux effets addictifs du sucre.

FACILE

Pour **6** compotes
15 min de préparation
15 min de cuisson
Coût €

À partir de **4** mois • Type de repas : petit déjeuner, goûter, dessert

COMPOTE DE POMMES MAISON

1 kg de pommes golden • 1 cuil. à café de sucre de canne • 20 cl d'eau

Matériel
Cuiseur vapeur • Mixeur

1. Épluchez, épépinez et coupez les pommes en morceaux.

2. Mettez-les dans le panier du cuiseur vapeur et faites-les cuire pendant 15 min.

3. Quand les morceaux sont fondants, c'est cuit. Mixez avec l'eau. Goûtez et ajoutez seulement le sucre si l'acidité du fruit persiste.

LE GOÛT
Pour varier les saveurs, choisissez différentes pommes au fil des saisons : Boskoop, Reine des reinettes, Reinette grise du Canada, Clochard, pomme du Limousin ou Calville.

AU FIL DES MOIS
La première fois, quelques cuillères de compote peuvent être complétées par un biberon de lait. Petit à petit, vous pourrez mélanger un produit laitier à la compote, par exemple un petit-suisse ou quelques cuillerées de fromage blanc.

CONSERVATION
Répartissez le reste de la compote dans des petits pots que vous fermez hermétiquement. Congelez ou réfrigérez selon vos besoins. Au réfrigérateur, les compotes se conservent 2 à 3 jours maximum.

FACILE

Pour **1** portion
5 min de préparation
5 min de repos
Coût €

À partir de **5** mois • Type de repas : goûter, dessert

GOÛTER DE COMPOTE AU FROMAGE BLANC

2 biscuits boudoirs • 3 ou 4 cuil. à soupe de fromage blanc • 1 cuil. à soupe de compote mixée de fruits au choix : pomme, banane, poire, abricot…

1. Dans un bol, émiettez les biscuits et versez de l'eau à hauteur. Laissez-les fondre quelques minutes.

2. Ajoutez ensuite le fromage blanc et la compote. Mélangez jusqu'à ce que le goûter soit onctueux et servez à la cuillère.

LE GOÛT

Chaque être humain perçoit les saveurs des aliments différemment. Le degré d'acidité et la texture différant d'un produit laitier à l'autre, vous pouvez remplacer le fromage blanc ou la faisselle plutôt acides par un petit-suisse ou du yaourt plus doux. Ce sont toujours les réactions de bébé qui vous permettront d'apprendre à connaître ses goûts et sa sensibilité.

NUTRITION

Dans la combinaison fromage blanc-pomme-biscuits, les familles nutritionnelles sont bien représentées. Ainsi, glucides complexes (dits sucres lents), glucides simples (dits sucres rapides), fibres et vitamines en font un goûter complet.

FACILE

Pour **1** portion
2 min de préparation
10 min de cuisson
Coût €

À partir de **4** mois • Type de repas : goûter, dessert

BANANE VAPEUR

1 banane mûre sans traces de coups sur la peau

Matériel
Cuiseur vapeur • Mixeur

1. Faites cuire la banane dans sa peau à la vapeur pendant 10 min.
2. Mixez ou écrasez la chair cuite et faites déguster à bébé à la petite cuillère.

AU FIL DES MOIS
On peut compléter ce goûter en mixant quelques cuillerées de yaourt avec la chair de banane.

NUTRITION
La banane, fruit énergétique, est riche en vitamines et en minéraux. Elle se digère facilement, ce qui en fait un aliment à privilégier pour bébé.

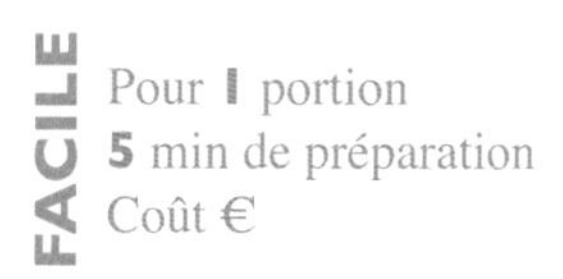

À partir de **5** mois • Type de repas : goûter

BANANE À L'AVOCAT

1 banane • ¼ d'avocat • Quelques gouttes de citron jaune ou vert

Matériel
Mixeur

1. Épluchez la banane et le quart d'avocat.
2. Passez le tout au mixeur. C'est prêt !

NUTRITION

Avec sa chair douce, l'avocat est un beurre végétal très digeste et complet. Protéiné, riche en acides gras essentiels mono-insaturés, il contient de la vitamine D. Choisissez-le tendre sous la pression des doigts.

LE GOÛT

L'avocat peut aussi bien se sucrer au sirop d'érable ou au sucre de canne, que se mélanger à de la chair de tomate dans une recette salée.

Love

FACILE

Pour **1** portion
5 min de préparation
10 min de cuisson
Coût €

À partir de **5** mois • Type de repas : petit déjeuner, goûter, dessert

TAPIOCA BANANE

18 cl d'eau • 10 g de tapioca • ½ banane • 5 doses de lait maternisé

Matériel
Mixeur

1. Dans une petite casserole, portez l'eau à ébullition. Versez-y le tapioca en pluie tout en mélangeant au fouet pour éviter les grumeaux.

2. Ajoutez la banane épluchée et tranchée. Laissez mijoter 10 min.

3. Ajoutez les doses de lait et mixez pour obtenir un velouté. Servez tiède ou froid à bébé.

AU FIL DES MOIS
À partir du 6e mois, vous pouvez donner ce dessert à bébé sans le mixer. Dans quelques mois, bébé pourra découvrir la banane plantain. Celle-ci doit toutefois être cuite afin de rendre son amidon digeste.

- FAIT MAISON -

DE 6 à 8 MOIS

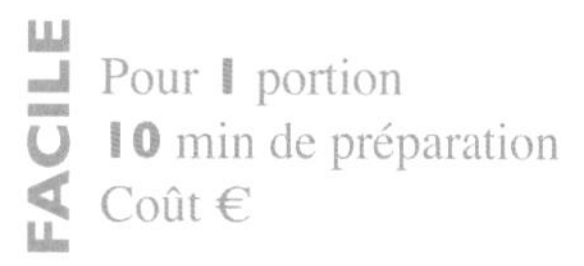

À partir de **6** mois • Type de repas : petit déjeuner, goûter

JUS DE FRUITS, VARIANTES

Printemps-Été
1 pêche blanche • 10 framboises • 10 cl d'eau minérale • Quelques gouttes de jus de citron
Ou
1 abricot • ½ banane • 15 cl d'eau minérale • Quelques gouttes de jus de citron

Automne-Hiver
1 orange • 1 clémentine • 10 cl d'eau minérale • Quelques gouttes de jus de citron
Ou
½ pomme • 1 poire • 10 cl d'eau minérale • Quelques gouttes de jus de citron

Matériel
Presse-fruits • Centrifugeuse

1. Pressez les agrumes au presse-fruits.

2. Lavez, épluchez et passez les fruits tels que la pomme ou la poire à la centrifugeuse. Allongez avec l'eau et ajoutez le jus de citron.

3. Servez au biberon ou à la cuillère, selon la texture et la maturité de bébé.

NUTRITION
À partir d'un an, vous pouvez laisser la peau des fruits tels que les pommes et les poires. Les vitamines présentes directement sous la peau seront ainsi absorbées. Pour autant, n'oubliez pas de les brosser sous l'eau courante avant de les utiliser.

FACILE

Pour **6** compotes
10 min de préparation
15 min de cuisson
Coût €

À partir de **6** mois • Type de repas : petit déjeuner, goûter, dessert

COMPOTE DE POMMES À L'ANCIENNE

1 kg de pommes reinettes • 20 cl d'eau • ½ gousse de vanille ou 1 sachet de sucre vanillé
1 cuil. à café de sucre de canne

Matériel
Moulin à légumes

1. Lavez et brossez les pommes sous l'eau courante. Coupez-les en morceaux (laissez la peau et les pépins).

2. Dans une casserole, mettez les morceaux de pommes avec l'eau et la gousse de vanille fendue et grattée. Couvrez et faites chauffer à feu vif. Laissez mijoter à feu moyen pendant 15 min.

3. Dès que les morceaux de pommes sont tendres, passez-les au moulin à légumes. Goûtez et ajoutez 1 cuil. à café de sucre si l'acidité du fruit persiste.

4. Servez une portion d'environ 100 g, tiède ou à température ambiante.

CONSERVATION
Répartissez le reste de la compote dans des petits pots que vous fermez hermétiquement. Congelez ou réfrigérez selon vos besoins. Au réfrigérateur, les compotes se conservent 2 à 3 jours.

LE GOÛT
À la place de la vanille, ajouter un fruit de saison comme une poire ou une banane donnera de la rondeur à la saveur de la compote.

ASTUCE
Après la cuisson, lavez la gousse de vanille à l'eau et séchez-la. Une fois sèche, conservez-la dans la boîte à sucre. Elle donnera au sucre tous ses arômes après quelques semaines d'infusion de la sorte.

FACILE

Pour **1** portion
5 min de préparation
2 min de cuisson
Coût €

À partir de **6** mois • Type de repas : petit déjeuner, goûter

BIBERON AU LAIT D'AMANDES

12 cl d'eau minérale • 1 cuil. à café rase de purée d'amandes • Quelques doses de lait maternisé

Matériel
Passoire

1. Faites chauffer l'eau. Ajoutez-y la purée d'amandes et laissez infuser quelques minutes.
2. Filtrez à l'aide d'une petite passoire.
3. Versez le lait aux amandes dans le biberon et ajoutez le lait en poudre. Secouez pour bien dissoudre le lait en poudre.

AU FIL DES MOIS
Vers le 7e mois, vous pouvez mélanger tous les ingrédients directement dans le biberon. Vous n'avez plus besoin de filtrer car bébé peut maintenant digérer les fibres de la purée d'amandes.

NUTRITION
Grâce à ses multiples vertus, notamment sa richesse en protéines et en acides gras essentiels mono-insaturés, l'amande se prête bien aux boissons pour bébé.
Elle est disponible sous plusieurs formes : en purée ou encore en poudre soluble très facile à utiliser en alternance avec le lait de vache.

FACILE

Pour **1** portion
5 min de préparation
10 min de cuisson
Coût €

À partir de **6** mois • Type de repas : repas, goûter, céréales

BOUILLIE AUX FLOCONS D'AVOINE

10 cl d'eau minérale • 10 cl de lait de vache demi-écrémé • 2 cuil. à soupe de flocons d'avoine
Quelques gouttes de sirop d'érable ou de miel d'acacia

Matériel
Mixeur

1. Dans une petite casserole, faites chauffer l'eau et le lait. Ajoutez-y les flocons d'avoine et laissez mijoter 5 à 10 min à feu moyen. Pour une cuisson égale, remuez de temps en temps à la cuillère en bois.

2. Lorsque la bouillie devient onctueuse, ajoutez le miel ou le sirop d'érable et mixez. Versez dans l'assiette de bébé et servez lorsque la température lui convient.

NUTRITION
On peut ajouter de la compote de fruits (banane, pomme, poire ou fruits rouges) pour compléter la bouillie.

FACILE
Pour **1** portion
10 min de préparation
20 min de cuisson
Coût €

À partir de **7** mois • Type de repas : repas, légumes

HARICOTS VERTS « CUISINÉS »

150 g de haricots, verts ou beurre • ½ oignon nouveau • 1 branche de cerfeuil • 1 noisette de beurre

Matériel
Mixeur

1. Enlevez les queues et retirez les fils des haricots. Épluchez et hachez menu l'oignon. Lavez, effeuillez et ciselez le cerfeuil.

2. Mettez le beurre avec l'oignon haché à fondre pendant quelques minutes à feu moyen. Ajoutez les haricots verts et le cerfeuil ciselé.

3. Couvrez et laissez mijoter à feu doux pendant 15 min. Quand les haricots sont tendres, mixez et servez.

AU FIL DES MOIS
Dès 7 mois, complétez les légumes avec 40 g de blanc de poulet ou de bœuf. À partir du 10e mois, de l'agneau coupé en petits morceaux peut être mis à mijoter avec les haricots dès le début de la cuisson.

always a good

FACILE

Pour **5** petits pots
20 min de préparation
20 min de cuisson
Coût €

À partir de **7** mois • Type de repas : repas complet, potage, purée

LÉGUMES À LA VAPEUR

Printemps/Été
250 g de pommes de terre nouvelles • 3 petites courgettes • 500 g de haricots verts • 3 carottes nouvelles

Automne/Hiver
500 g de pommes de terre • 500 g de chair de potiron ou de potimarron • 3 petits navets 1 poireau • 1 épi de maïs

Matériel
Cuiseur vapeur

1. Épluchez ou lavez les légumes, puis coupez-les en morceaux de grosseur homogène pour une cuisson égale.

2. Remplissez les étages du cuiseur vapeur avec les légumes. Dès que les morceaux d'un légume sont tendres, retirez-les du cuiseur vapeur et laissez refroidir.

3. Vous pouvez garder les légumes cuits pour les purées et les potages de bébé des jours suivants, ainsi que pour vous-même.

PRATIQUE
Une fois les légumes cuits, il vous suffira de les réchauffer dans du lait et de les mixer pour obtenir une purée ou un potage au moment du repas. Dans quelques mois, vous pourrez aussi faire sauter les légumes dans un peu de beurre et d'huile d'olive. Avec une portion de viande blanche, ils formeront un repas complet.

FACILE

Pour **1** portion
2 min de préparation
5 min de cuisson
Coût €

À partir de **6** mois (le jaune) et **12** mois (le blanc)
Type de repas : repas

ŒUF À LA COQUE

1 œuf très frais

1. Immergez l'œuf dans de l'eau froide et portez à ébullition. Quand l'eau bout depuis 1 min, l'œuf est « à la coque ».

2. Servez dans un coquetier et ne donnez que le jaune de l'œuf à la cuillère.

NUTRITION
Vers 12 mois, l'œuf à la coque peut être mangé entier si aucun problème d'intolérance n'est apparu, car le tube digestif de bébé sera mûr pour digérer les protéines du blanc d'œuf.

AU FIL DES MOIS
Vous pouvez compléter l'œuf avec une purée de légumes et un petit morceau de pain.

FACILE

Pour **1** portion
10 min de préparation
25 min de cuisson
Coût €

À partir de **7** mois (sauf pour l'asperge, tolérée à partir de **12** mois)
Type de repas : repas, féculent

PURÉE DE POMMES DE TERRE, VARIANTES

Matériel
Cuiseur vapeur • Mixeur

Printemps : aux asperges
1 pomme de terre • 2 asperges blanches • 1 noisette de beurre • 1 branche de persil • 1 petite pincée de sel

1. Épluchez la pomme de terre et les asperges à l'aide d'un économe. Coupez-les en morceaux et mettez le tout à cuire 25 min à la vapeur.

2. Lorsque la pomme de terre s'émiette sous la pointe d'un couteau et que l'asperge se laisse fendre, c'est cuit.

3. Dans votre bol mixeur, mélangez les légumes avec le beurre, le persil plat et le sel. Au besoin, ajoutez quelques cuillères d'eau de cuisson. Mixez jusqu'à obtenir une purée lisse.

Été : à la tomate
1 pomme de terre • 2 tomates • 1 branche de basilic • 1 cuil. à café d'huile d'olive

1. Épluchez la pomme de terre et lavez les tomates. Coupez-les en morceaux et mettez les morceaux de pomme de terre au cuiseur vapeur. Après 15 min de cuisson, ajoutez les morceaux de tomate pour encore 10 min de cuisson.

2. Dans votre bol mixeur, mettez les légumes avec les feuilles de basilic lavées et l'huile d'olive. Au besoin, ajoutez quelques cuillerées d'eau de cuisson. Mixez jusqu'à obtenir une purée lisse.

Automne : aux endives
1 à 2 endives, selon la taille • 1 pomme de terre • 1 noisette de beurre • 1 pincée de sucre

1. Enlevez les feuilles fripées, puis fendez l'endive en deux dans le sens de la longueur. À l'aide d'un couteau d'office, retirez le cœur amer. Épluchez et coupez la pomme de terre en morceaux. Mettez les légumes à cuire 25 min à la vapeur.

2. Dans votre bol mixeur, mettez les légumes avec la noisette de beurre et la pincée de sucre. Mixez jusqu'à obtenir une purée lisse. Au besoin, ajoutez quelques cuillerées d'eau de cuisson. Servez dans l'assiette de bébé.

AU FIL DES MOIS
Vous pouvez compléter la purée avec un morceau de poisson maigre ou de blanc de poulet.

Hiver : aux blettes
1 pomme de terre • 2 à 4 côtes de blettes (blanc et vert) selon la taille • 1 branche de persil
1 noisette de beurre

1. Épluchez et coupez la pomme de terre en morceaux. Lavez et hachez les côtes de blettes. Gardez le vert.

2. Mettez la pomme de terre et les côtes blanches à cuire à la vapeur. Au bout de 15 min de cuisson, ajoutez les parties vertes et le persil effeuillé et lavé, pour encore 10 min de cuisson.

3. Mixez les légumes cuits avec le beurre jusqu'à obtenir une purée lisse. Au besoin, ajoutez quelques cuillerées d'eau de cuisson. Servez dans l'assiette de bébé.

FACILE
Pour **1** portion
10 min de préparation
25 min de cuisson
Coût €

À partir de **7** mois • Type de repas : soupe

POTAGE POMME DE TERRE-ARTICHAUT

1 pomme de terre à soupe, par exemple de type Bintje • 1 cœur d'artichaut surgelé • 20 cl d'eau
5 doses de lait maternisé

Matériel
Mixeur

1. Épluchez et tranchez la pomme de terre finement. Émincez le fond d'artichaut en tranches moyennes.

2. Dans une petite casserole, portez l'eau à ébullition et ajoutez-y les légumes émincés.

3. Lorsque les légumes sont tendres, ajoutez le lait en poudre et mixez.

4. Servez dans le biberon avec une tétine à large débit, après avoir vérifié que la température convient à bébé.

AU FIL DES MOIS
Vous pouvez égoutter les légumes une fois cuits et mixer afin d'obtenir une purée épaisse que bébé mangera à la cuillère. Ajoutez une noisette de beurre, un brin de persil ou de cerfeuil pour parfumer.

FACILE

Pour **1** portion
10 min de préparation
20 min de cuisson
15 min de repos
Coût €

À partir de **7** mois • Type de repas : soupe

POTAGE ORGE-ARTICHAUT

25 cl d'eau • 1 cuil. à dessert d'orge perlé • 2 cœurs d'artichaut surgelés • 4 doses de lait maternisé

Matériel
Mixeur

1. Portez l'eau à ébullition et ajoutez l'orge et les cœurs d'artichaut. Mijotez à couvert pendant 20 min puis, après avoir coupé le feu, laissez gonfler 15 min à couvert.

2. Quand la céréale est tendre à cœur, c'est prêt.

3. Mixez et ajoutez les doses de lait. Versez dans le biberon et secouez. Vérifiez que la température convient à bébé.

NUTRITION
Sans pour autant l'introduire trop rapidement, la famille des céréales et légumineuses est à garder à l'esprit pour nourrir les enfants. Dès tout petit (3 ans), orge, blé entier, lentilles ou cocos peuvent entrer dans l'alimentation car ils sont de bonnes sources d'énergie et d'acides aminés.

FACILE

Pour **1** portion
15 min de préparation
15 min de cuisson
Coût €

À partir de **6** mois • Type de repas : soupe

VELOUTÉ AUX FANES DE RADIS

Les fanes de ½ botte de radis • 1 pomme de terre de taille moyenne • 1 cuil. à café d'huile d'olive vierge douce • 20 cl verre d'eau • 1 noisette de beurre

Matériel
Mixeur

1. Lavez les fanes de radis à grande eau pour enlever tout le sable. Épluchez et coupez la pomme de terre en petits morceaux.

2. Mettez l'huile d'olive dans une casserole à feu moyen. Ajoutez les fanes coupées en morceaux à l'aide d'une paire de ciseaux. Remuez avec une cuillère en bois pour les faire fondre dans l'huile d'olive.

3. Au bout de quelques minutes, ajoutez l'eau et les morceaux de pomme de terre. Couvrez et laissez mijoter 15 min.

4. Ajoutez la noisette de beurre et mixez. Servez dans le biberon avec une tétine à gros trou. Vérifiez que la température convient à bébé.

AU FIL DES MOIS

Vous pouvez ajouter du lait maternisé pour enrichir le potage. À partir du 6e mois révolu, vous pouvez commencer à remplacer le lait maternisé par du lait de vache.

NUTRITION

À la différence du bouillon, constitué exclusivement de liquide, le potage contient les fibres des légumes mixés, ce qui est nouveau pour le tube digestif de bébé. Veillez à ce qu'ils soient bien tolérés.

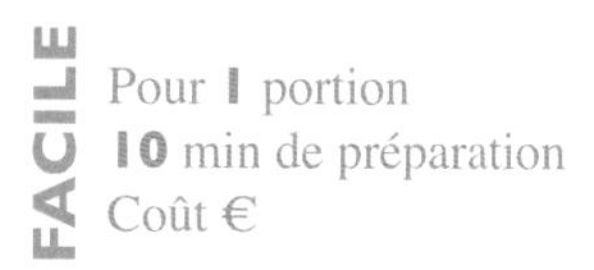

À partir de **6** mois • Type de repas : viande

MOUSSE DE JAMBON AU FROMAGE BLANC

½ tranche de jambon blanc • 100 g de fromage blanc battu • Les feuilles de 2 branches de persil

Matériel
Mixeur

1. Enlevez la couenne du jambon, puis coupez-le en lanières.

2. Au mixeur, hachez le jambon avec le fromage blanc et les feuilles de persil.

3. Servez cette mousse à la cuillère.

AU FIL DES MOIS
Complétez la mousse par une purée de légumes verts : haricots ou brocolis, par exemple.

VARIANTE
Pour une mousse sucrée-salée, remplacez le fromage blanc par une banane.

FACILE
Pour 1 portion
15 min de préparation
5 min de cuisson
Coût €

À partir de **6** mois • Type de repas : volaille

BLANC DE POULET AU PAMPLEMOUSSE ROSE

20 g de blanc de volaille au choix (poulet, pintade, dindonneau, poule) • ½ pamplemousse rose
2 petits-suisses • Les feuilles de 2 branches de cerfeuil

Matériel
Mixeur • Cuiseur vapeur

1. Retirez la peau de la volaille et faites cuire le morceau de blanc 5 min à la vapeur.

2. Épluchez le pamplemousse à vif en retirant les membranes blanches, trop amères pour bébé. Retirez également les pépins. Écrasez les chairs de pamplemousse à la fourchette.

3. Mixez le blanc de volaille cuit avec les petits-suisses et le cerfeuil lavé et effeuillé. Incorporez la chair de pamplemousse et donnez la purée tiède à bébé.

LE GOÛT
Le pamplemousse rose, contrairement à son cousin à chair jaune ou rouge, est peu ou pas amer. Sa chair rose est sucrée et moins acide que celle des autres pamplemousses.

NUTRITION
La chair du pamplemousse que vous venez d'extraire de sa peau épaisse est consommée crue par bébé, c'est-à-dire qu'elle n'a subi quasiment aucune oxydation. Toutes les vitamines, et notamment la vitamine C, sont donc parfaitement conservées.
Le pamplemousse, contrairement à l'orange, n'est pas ou peu acidifiant pour le système digestif.

TECHNIQUE
Pour éplucher à vif un agrume, découpez les extrémités jusqu'à la chair des deux côtés. Enlevez la peau jusqu'à la chair en suivant la forme du fruit. Lorsque la découpe a été faite de façon régulière, il ne doit plus y avoir de trace de peau. Ensuite, enlevez les quartiers de chair qui sont maintenant « à vif » à l'aide d'un petit couteau, et retirez-en les pépins.

FACILE

Pour 1 portion
15 min de préparation
20 min de cuisson
Coût €

À partir de **6** mois • Type de repas : repas, volaille

SUPRÊME DE POULET AUX CHAMPIGNONS ROSES

1 pomme de terre • 5 champignons roses • 20 à 40 g de suprême de volaille selon l'âge de bébé
1 petit-suisse • Les feuilles de 2 branches de cerfeuil

Matériel
Cuiseur vapeur • Mixeur

1. Épluchez et tranchez la pomme de terre finement, et mettez-la à cuire dans le panier du cuiseur vapeur.

2. Au bout de 10 min, ajoutez les champignons lavés et émincés, ainsi que le blanc de volaille, et poursuivez la cuisson pour 10 min.

3. Dans le bol du mixeur, mettez les légumes cuits, le poulet, le petit-suisse et le cerfeuil. Mixez. Donnez à la cuillère à bébé.

AU FIL DES MOIS
Dès l'apparition des premières dents, vous pouvez couper le poulet et les champignons en tout petits morceaux.

LE GOÛT
À part, on peut aussi mélanger la chair de la pomme de terre chaude au petit-suisse. Ces mélanges (poulet-champignons et pomme de terre-petit suisse) seront une nouvelle façon de découvrir les mêmes aliments de façon distincte.

TECHNIQUE
Faire suer, c'est-à-dire faire rendre leur eau aux champignons dans une poêle sans matière grasse, permettra d'y ajouter ensuite une noisette de beurre pour les faire rissoler avec le poulet.

PRODUIT
Le champignon rose est proche du champignon de Paris que je trouve un peu plus fade. Choisissez toujours les champignons fermes, dont on ne voit pas les lamelles dessous. Afin de ne pas le gorger d'eau, rincez-le rapidement sous un filet d'eau ou épluchez-le.

FACILE

Pour **1** portion
10 min de préparation
25 min de cuisson
Coût €

À partir de **7** mois • Type de repas : repas poisson, féculent

COLIN À LA POMME DE TERRE ET AU YAOURT

1 pomme de terre • 20 g de poisson blanc (colin, merlan ou truite) • 1 brin d'aneth • 3 cuil. à soupe de yaourt • 1 noisette de beurre

Matériel
Cuiseur vapeur • Mixeur

1. Épluchez et coupez la pomme de terre en petits morceaux. Enlevez méticuleusement toutes les arêtes et la peau du poisson.

2. Mettez les morceaux de pomme de terre à cuire à la vapeur. Après 20 min de cuisson, ajoutez le poisson et l'aneth. Poursuivez la cuisson encore 5 min.

3. Mixez les pommes de terre avec le yaourt et écrasez le poisson à la fourchette avec le beurre.

AU FIL DES MOIS
Vers le 9e mois, vous pouvez simplement écraser les pommes de terre à la fourchette. Entre 9 mois et 1 an – selon la dentition et le tempérament de bébé –, vous pourrez laisser les morceaux entiers.

PRODUIT
Colin, merlu, merlan, églefin sont d'autres espèces de poisson à chair blanche parmi lesquelles choisir. En fonction de l'abondance de la pêche et au fil des saisons, les prix varient.

FACILE
Pour 1 portion
5 min de préparation
5 min de repos
Coût €

À partir de **5** mois • Type de repas : goûter, dessert

GOÛTER FRUITÉ AU PETIT-SUISSE

3 biscuits petits-beurre • 2 cuil. d'eau minérale • ½ pomme • 1 petit-suisse ou 1 petite faisselle

1. Dans le bol de bébé, émiettez les biscuits. Ajoutez l'eau pour les ramollir.

2. Quand les biscuits ont fondu, ajoutez la pomme râpée et le petit-suisse. Mélangez bien. Donnez à la cuillère.

LE GOÛT
Les textures et l'acidité varient d'un produit laitier à l'autre. Afin de trouver celui qui plaît à bébé, variez avec du fromage blanc ou du yaourt.

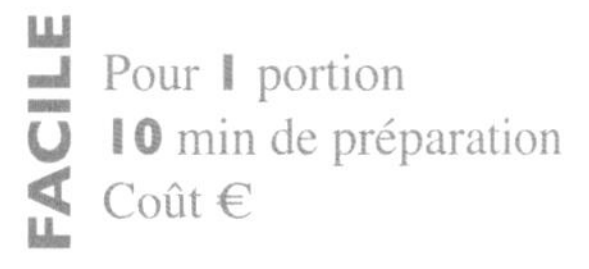

À partir de **6** mois • Type de repas : goûter, dessert

MOUSSE POMME BANANE

¼ de pomme • ½ banane mûre • 1 cuil. à soupe de jus de pamplemousse rose • ½ cuil. à café de sucre de canne

Matériel
Mixeur

1. Épluchez la pomme et la banane.

2. Mixez avec le jus de pamplemousse et le sucre. Goûtez et ajoutez du sucre si nécessaire. Servez à la cuillère.

VARIANTE
Vous pouvez varier avec un mélange banane-poire-jus d'orange ou banane-abricot-jus de clémentine, par exemple. Lorsque les fruits sont mixés, goûtez et atténuez l'acidité en ajoutant un peu de sucre au besoin.

FACILE

Pour **1** portion
5 min de préparation
10 min de cuisson
Coût €

À partir de **6** mois • Type de repas : goûter, dessert

PAPILLOTE POIRE-VANILLE

2 petites poires William (août) ou 1 poire Conférence ou Comice (septembre-décembre) • 3 cm d'une gousse de vanille • Quelques gouttes de citron

Matériel
Cuiseur vapeur • Papier cuisson

1. Découpez du papier de cuisson et pliez-le en papillote. Épluchez les poires et émincez-les directement dans la papillote.

2. Fendez puis grattez les graines de la gousse de vanille. Mélangez les graines et le jus de citron aux poires tranchées.

3. Fermez le papier hermétiquement et faites cuire la papillote à la vapeur une dizaine de minutes.

4. Écrasez à la fourchette dans le bol de bébé.

PRATIQUE
Si vous devenez adepte de la papillote, l'acquisition d'une papillote en silicone est pratique. Elle conserve les saveurs et les propriétés nutritionnelles des aliments : poisson, viandes blanches, légumes, fruits… Faites-vous plaisir et ajoutez des aromates pour parfumer les recettes : estragon, basilic, romarin, sauge, cumin ou curcuma en poudre…

FACILE

Pour **1** portion
10 min de préparation
1 h de repos
Coût €

À partir de **8** mois • Type de repas : goûter, dessert

SOUPE DE MELON CRU

200 g de chair de melon • ½ cuil. à café de sucre ou de sirop d'érable • 1 cuil. à café de poudre d'amandes

Matériel
Mixeur

1. Découpez la chair de melon en petits dés.

2. Mélangez-les au sucre et à la poudre d'amandes et laissez reposer 1 h au frais.

3. Mixez et servez aussitôt.

VARIANTE
Selon la saison et le marché, abricots et pêches se prêtent également à cette recette. Selon la chair des fruits utilisés, la texture sera plus ou moins liquide, proche de la soupe ou plus proche d'une compote crue.

LE GOÛT
À la soupe de melon, on peut ajouter quelques gouttes d'eau de fleur d'oranger ou de sirop d'orgeat.

FACILE

Pour **1** portion
15 min de préparation
15 min de cuisson
Coût €

À partir de **7** mois • Type de repas : goûter, dessert

FRUITS À NOYAU EN COMPOTE

3 prunes ou une dizaine de mirabelles (environ 200 g de chair de fruits) • ½ cuil. à café de sucre de canne • 3 à 4 cuil. à soupe d'eau

1. Lavez et découpez la chair des fruits en petits morceaux.

2. Dans une petite casserole fermée, laissez compoter les morceaux de fruits avec le sucre et l'eau durant 15 min à feu moyen.

3. Quand les fruits sont compotés, c'est prêt. Pour réduire le jus, vous pouvez soit prolonger la cuisson, soit passer la compote dans une passoire et donner le jus à part à bébé.

VARIANTES

À cette compote, on peut ajouter du yaourt velouté et un biscuit : spéculoos, petit-beurre ou cake. L'hiver, vous pouvez ajouter deux pruneaux réhydratés coupés en morceaux.

PRODUIT

Pour des prunes savoureuses, attendez juillet : quetsches et mirabelles ont besoin de soleil. Recouvertes d'un voile blanc, elles sont naturellement protégées de la chaleur. Pensez toujours à bien laver les fruits avant de les utiliser.

NUTRITION

Attention, les prunes, riches en fibres, sont légèrement laxatives.

FACILE

Pour **1** portion
5 min de préparation
5 min de cuisson
Coût €

À partir de **7** mois • Type de repas : goûter, dessert

BANANE AU CARAMEL

1 banane bien mûre • 1 pincée de sucre glace • 1 noisette de beurre

1. Lavez la banane à l'eau chaude en frottant bien. Coupez-la en deux dans le sens de la longueur. Parsemez de sucre glace le côté chair.

2. Faites fondre la noisette de beurre dans la poêle et faites cuire la banane côté chair pendant 5 min.

3. Faites déguster dans la peau à la petite cuillère.

NUTRITION
Riche en glucides, en vitamines du groupe B, en potassium et en magnésium, la banane se digère facilement, ce qui en fait l'un des premiers fruits recommandés lors de la diversification alimentaire de bébé.

FACILE

Pour **1** portion
5 min de préparation
15 min de cuisson
10 min de repos
Coût €

À partir de **6** mois • Type de repas : goûter

PETIT PUDDING DE SEMOULE DE BLÉ

1 pomme golden • 4 cuil. à soupe d'eau • 1 pincée de cannelle
1 cuil. à soupe de semoule fine de blé

1. Épluchez et coupez la pomme en petits morceaux. Faites-les cuire dans l'eau avec la cannelle.

2. Au bout de 15 min, ajoutez la semoule en pluie tout en mélangeant, dans la petite casserole, au fouet ou à la cuillère en bois.

3. Laissez gonfler pendant 10 min, puis laissez refroidir dans le bol de bébé. Vous pouvez soit écraser les morceaux de pomme cuite à la fourchette, soit mixer le tout.

PRODUIT
Parmi les pommes d'hiver à cuire, il y a la Boskoop ou la reinette grise du Canada. La Reine des reinettes arrive à la fin de l'été. Plutôt sucrées, toutes ces pommes conviennent à bébé sans sucre ajouté.

VARIANTE
Vous pouvez remplacer la semoule de blé par de la semoule de maïs précuite.

FACILE

Pour **15** biscuits environ
15 min de préparation
10 min de cuisson
Coût €

À partir de **8** mois • Type de repas : goûter, dessert

MES PREMIERS BISCUITS BOUDOIRS

1 citron bio non traité • 25 g de beurre • 25 g de sucre glace • 1 œuf entier • 50 g de farine
1 g de levure chimique • 2 cl d'huile d'olive vierge et douce

1. Préchauffez le four à 150 °C (th. 5).

2. Lavez et essuyez le citron. Prélevez l'équivalent de ½ cuil. à café de zeste à la râpe très fine et 1 cuil. à café de jus.

3. Faites fondre puis refroidir le beurre à température ambiante.

4. Dans un grand bol, mélangez le sucre glace avec le zeste. Ajoutez l'œuf entier et mélangez à la cuillère en bois. Ajoutez la farine et la levure. Mélangez.

5. Ajoutez le jus de citron, mélangez encore, puis finissez par le beurre fondu et l'huile d'olive.

6. Sur un tapis en silicone ou une feuille de papier cuisson beurrée posé sur la plaque du four, étalez la pâte à la cuillère, en forme de boudoirs, espacés les uns des autres. Enfournez pour 10 à 12 min de cuisson.

TECHNIQUE

Lorsque vous ajoutez le sucre glace et la farine, pensez à poser un petit tamis sur le bol pour éviter les grumeaux dans la pâte.

AU FIL DES MOIS

Vous pouvez remplacer la moitié de la farine par de la farine de noisettes.

- FAIT MAISON -

DE 9 à 12 MOIS

FACILE

Pour **1** portion
5 min de préparation
4 min de cuisson
5 min de repos
Coût €

À partir de **9** mois • Type de repas : soupe

LAIT AUX VERMICELLES

25 cl de lait • 1 petite pincée de sel • 1 pétale d'ail, c'est-à-dire une fine tranche prélevée à l'économe • 1 petite pincée de noix muscade • 2 cuil. à soupe de vermicelles ou de cheveux d'ange coupés (environ 30 g) • 1 noisette de beurre

1. Versez le lait dans une petite casserole. Ajoutez une petite pincée de sel, le pétale d'ail et râpez un soupçon de noix muscade. Portez à frémissements.

2. Ajoutez les vermicelles en remuant. Laissez frémir 4 min en faisant attention à ce que le lait ne déborde pas.

3. Ajoutez 1 noisette de beurre, puis versez dans l'assiette de bébé. Mélangez jusqu'à ce que la température convienne à bébé et donnez à la cuillère.

VARIANTE
Remplacez la muscade et le sel par de la cannelle et du sucre en même quantité, et cette soupe de lait aux vermicelles se transforme en dessert.

FACILE

Pour **1** portion
10 min de préparation
Coût €

À partir de **10** mois • Type de repas : repas, légumes

TOMATE, AVOCAT ET CREVETTES

1 cuil. à soupe de yaourt onctueux • 1 cuil. à café de crème fraîche • 1 cuil. à café de jus de citron • 3 crevettes cuites • 1 tomate • ½ avocat • Quelques feuilles de coriandre

Matériel
Mixeur

1. Dans un bol assez grand pour contenir tous les ingrédients, mélangez le yaourt et la crème au jus de citron.

2. Épluchez et coupez les queues des crevettes en tout petits morceaux. Épluchez la tomate après l'avoir ébouillantée 1 min. Épépinez-la et coupez-la en morceaux. Coupez la chair de l'avocat en petits morceaux.

3. Mixez tous les ingrédients avec la sauce et quelques feuilles de coriandre. Donnez à la cuillère.

AU FIL DES MOIS
Lorsque bébé aura des petites dents, vous pourrez simplement mélanger les ingrédients à la sauce sans mixer.

FACILE

Pour **1** portion
15 min de préparation
25 min de cuisson
Coût €

À partir de **9** mois • Type de repas : repas, légumes

JARDINIÈRE DE PRINTEMPS

150 g de petits pois écossés frais ou congelés • 1 carotte nouvelle • 1 petit navet • 1 oignon grelot ou 1 petit morceau d'oignon blanc ou jaune • 1 noisette de beurre • 1 cuil. à café d'huile d'olive • 1 feuille de laurier • 10 cl d'eau

1. Écossez les petits pois. Épluchez la carotte et le navet à l'économe, et coupez-les en rondelles, puis en quatre. Épluchez et hachez l'oignon grelot.

2. Dans un poêlon, mettez l'oignon à fondre avec le beurre et l'huile durant 5 min. Ajoutez les morceaux de carotte et de navet, les petits pois, la feuille de laurier et l'eau. Couvrez et laissez mijoter environ 20 min jusqu'à ce que les légumes soient tendres.

3. Selon la phase dans laquelle se trouve bébé, servez tel quel, écrasez à la fourchette ou mixez la jardinière de légumes après avoir enlevé la feuille de laurier.

VARIANTE

Vous pouvez remplacer ces légumes par de l'asperge, de la tomate et de la courgette, par exemple, au fil des expériences gustatives de bébé.

AU FIL DES MOIS

Par temps chaud, coupez les légumes en petits cubes et, après les avoir cuits à la vapeur, servez-les froids mélangés à une cuillère de crème fraîche assaisonnée avec du jus de citron.

FACILE

Pour **1** portion
15 min de préparation
15 min de cuisson
Coût €

À partir de **9** mois • Type de repas : repas, légumes

FLÉTAN, LAITUE ET BROCOLI

200 g de fleurs de brocoli • 4 feuilles de laitue • Les feuilles de 1 branche de persil • 20 g de flétan • 1 noisette de beurre

Matériel
Cuiseur vapeur • Mixeur

1. Lavez et supprimez les branches filandreuses du brocoli pour ne garder que les fleurs vertes. Lavez les feuilles de laitue et de persil.

2. Mettez les fleurs de brocoli au cuiseur vapeur. Au bout de 12 min de cuisson, ajoutez le poisson, les feuilles de laitue et de persil. Prolongez la cuisson de 3 min.

3. Mixez tous les ingrédients avec la noisette de beurre et un peu d'eau de cuisson au besoin.

LE GOÛT
Vous pouvez remplacer le flétan par un poisson au goût plus prononcé : lieu jaune ou lieu noir par exemple.

NUTRITION
Pour une prise alimentaire plus calorique et rassasiante, vous pouvez lier la purée avec quelques cuillerées de fromage blanc, ou ajouter au brocoli une pomme de terre, riche en glucides complexes.

さん
Trois
Thre

FACILE

Pour **1** portion
15 min de préparation
20 min de cuisson
Coût €

À partir de **9** mois • Type de repas : repas

PAPILLOTE DE BAR, TOMATE ET TAGLIATELLES

1 tomate de taille moyenne bien mûre • Les feuilles de 1 branche d'estragon • 2 brins de ciboulette • 5 feuilles de persil plat • 40 g de filet de bar • 1 cuil. à café d'huile d'olive • 40 g de tagliatelles aux œufs • 1 noisette de beurre

Matériel

Mixeur • Papier sulfurisé

1. Préchauffez le four à 210 °C (th. 7).

2. Épluchez et épépinez la tomate. Coupez la chair en dés. Lavez soigneusement les herbes que vous ciselez finement.

3. Dans un grand carré de papier sulfurisé, déposez le bar et les dés de tomate, les fines herbes ciselées et l'huile d'olive. Fermez le papier sulfurisé hermétiquement. Enfournez pour 10 min.

4. Pendant ce temps, faites cuire les tagliatelles le temps indiqué sur l'emballage. Égouttez-les et mélangez-les à la noisette de beurre dans le bol du mixeur.

5. Sortez la papillote du four et versez les ingrédients avec le jus de cuisson, ainsi que la noisette de beurre dans le bol mixeur. Mixez et servez lorsque la température sera adaptée à bébé.

AU FIL DES MOIS
Vous pourrez couper les tagliatelles en tout petits morceaux et simplement écraser le poisson lorsque bébé mastiquera suffisamment.

TECHNIQUE
Afin d'éplucher une tomate facilement, il convient de l'inciser superficiellement avec un couteau et de l'ébouillanter 2 à 3 min.

FACILE

Pour **1** portion
15 min de préparation
20 min de cuisson
Coût €

À partir de **9** mois • Type de repas : soupe

VELOUTÉ DE ROUGET, POIREAU ET POMME DE TERRE

1 pomme de terre • ½ blanc de poireau • 1 petite carotte • 2 pistils de safran • 15 cl de lait • 40 g de filet de rouget • 1 cuil. à café de crème fraîche

1. Épluchez et coupez la pomme de terre en petits morceaux. Fendez et lavez le poireau pour enlever tout le sable. Émincez le blanc du poireau. Épluchez et coupez la carotte en petits morceaux.

2. Dans une petite casserole, mettez les légumes et le safran dans le lait. Portez à frémissements pendant 15 min. Ajoutez le poisson pour encore 5 min de cuisson.

3. Hors du feu, ajoutez la crème, puis remettez sur le feu quelques instants. Mixez au besoin. Vérifiez que la température convient avant de servir à bébé.

VARIANTE

Le rouget peut être remplacé par du saumon. On peut également ajouter 1 cuil. à café de purée de tomates pour une saveur ronde et sucrée.

FACILE
Pour **1** portion
10 min de préparation
10 min de cuisson
Coût €

À partir de **9** mois • Type de repas : repas, viande, céréales

MOUSSE DE FOIE AU PAIN

100 g de mie de pain • ½ verre d'eau • ½ verre de lait • 1 oignon grelot ou 1 petit morceau d'oignon blanc ou jaune • 1 noisette de beurre • 40 g de foie de veau ou de volaille
Quelques feuilles de coriandre ou de cerfeuil

Matériel
Mixeur

1. Faites tremper le pain dans le mélange eau et lait.

2. Pendant ce temps, faites fondre l'oignon haché avec le beurre dans une petite poêle à feu moyen pendant 5 min. Ajoutez le foie coupé en petits morceaux pour encore 5 min de cuisson.

3. Retirez la poêle du feu et ajoutez le pain essoré dans la poêle. Mélangez avec une cuillère en bois afin que le pain s'imbibe des sucs de cuisson.

4. Mixez avec les feuilles de coriandre ou de cerfeuil ciselées au préalable. Au besoin, ajoutez un peu d'eau ou de fromage blanc pour allonger la purée.

NUTRITION
Le foie est riche en fer et en vitamines, notamment en vitamine A. Tous les foies sont fragiles et doivent être consommés rapidement. Assurez-vous qu'il n'y a pas de rupture de la chaîne du froid entre le moment de l'achat et le stockage (24 h) dans votre réfrigérateur.

FACILE

Pour **1** portion
15 min de préparation
25 min de cuisson
10 min de repos
Coût €

À partir de **9** mois • Type de repas : repas, viande, légumes

SOT-L'Y-LAISSE, BLETTES, SEMOULE

Le blanc de 1 à 2 côtes de blettes (environ 150 g) • 30 à 50 g soit environ 2 sot-l'y-laisse de poulet (petits morceaux ovales et dodus nichés à la base des ailes) • 1 cuil. à café d'huile d'olive • 1 noisette de beurre • 1 pétale d'ail • 1 pincée de raz-el-hanout ou de quatre-épices • 20 cl d'eau • 30 g de graines de couscous de blé fin

Matériel
Cuiseur vapeur

1. Lavez et coupez les côtes de blettes en quatre, de façon à ce qu'elles entrent dans le compartiment du cuiseur vapeur, où vous les placez pour 15 min de cuisson.

2. Dans une poêle à feu moyen, faites rissoler les sot-l'y-laisse coupés en petits morceaux avec l'huile, le beurre et le pétale d'ail.

3. Retirez les côtes de blettes du cuiseur vapeur et coupez-les en petits morceaux. Ajoutez-les dans la poêle avec les sot-l'y-laisse et assaisonnez avec la pincée *de raz-el-hanout*. Déglacez en versant l'eau dessus.

4. Lorsque l'eau est à ébullition, ajoutez les graines de couscous, couvrez et coupez le feu. Laissez gonfler les graines pendant 10 min.

5. Mélangez et servez dans l'assiette creuse de bébé.

VARIANTES
On peut facilement faire varier ce plat : remplacer les sot-l'y-laisse par un morceau de poisson comme la lotte qui a une bonne tenue lors de la cuisson, les graines de couscous par des céréales mélangées précuites et les blettes par de la courgette ou un mélange carotte-potiron.

LE GOÛT
Le célèbre mélange quatre-épices est composé de poivre noir, noix muscade, clous de girofle et cannelle.

NUTRITION
Ce plat contient des protéines (viande), des sucres complexes (blé) et des fibres (légumes). Il est à ce titre complet.

FACILE

Pour **1** portion
15 min de préparation
20 min de cuisson
10 min de trempage
Coût €

À partir de **9** mois • Type de repas : repas

PURÉE CITRONNÉE VEAU-COURGETTE

50 g de mie de pain frais ou rassis • 1 cuil. à soupe de jus de citron • 2 cuil. à soupe d'eau 1 courgette • 30 g d'escalope de veau • 5 feuilles de persil plat • 2 cuil. à soupe de poudre d'amandes

Matériel
Mixeur

1. Hydratez le pain avec le jus de citron et l'eau. Il doit être mou après avoir trempé 10 min. Au besoin, ajoutez encore un peu d'eau.

2. Lavez et coupez la courgette en rondelles. Hachez le veau en petits morceaux. Faites cuire les rondelles de courgette à la vapeur pendant 15 min, puis ajoutez les morceaux de veau et les feuilles de persil pour encore 5 min de cuisson.

3. Dans le bol du mixeur, mettez les aliments cuits avec la poudre d'amandes et la mie de pain imbibée. Mixez brièvement pour garder des petits morceaux dans la purée.

PRATIQUE
Lorsque nous achetons des aliments naturels de première qualité comme le pain, il est tout naturel de ne pas le gâcher. Ainsi, la mie de pain rassis peut se substituer à un autre féculent comme épaississant et rassasiant tel qu'il le fait dans cette recette.

FACILE

Pour **1** portion
10 min de préparation
25 min de cuisson
Coût €

À partir de **10** mois • Type de repas : repas, viande, céréales

DINDE AUX MARRONS

2 pommes de terre épluchées (environ 150 g) • 50 g de marrons sous vide épluchés • 30 g de blanc de dinde • 1 cuil. à café d'huile d'olive • 1 noisette de beurre • 1 oignon grelot ou 1 petit morceau d'oignon blanc ou jaune • 1 cuil. à soupe d'eau • 2 cuil. à soupe de fromage frais ou de fromage blanc

Matériel
Cuisson vapeur • Mixeur

1. Épluchez et coupez les pommes de terre en petits cubes. Faites-les cuire à la vapeur pendant 15 à 20 min jusqu'à ce qu'elles soient tendres.

2. Avec les doigts, émiettez les marrons.

3. Dans une poêle à feu moyen, faites rissoler le blanc de dinde coupé en petits morceaux avec l'huile, le beurre, et l'oignon haché finement pendant 7 min.

4. Retirez la viande qui est prête et mettez-la de côté, ainsi que les morceaux de pomme de terre.

5. Ajoutez les marrons émiettés dans la poêle avec 1 cuil. à soupe d'eau. Mélangez pour réchauffer les marrons.

6. Mixez tous les aliments et ajoutez-les dans l'assiette de bébé. Donnez à bébé à la cuillère.

AU FIL DES MOIS
Avec l'évolution de la dentition et la capacité à mâcher de bébé, vous pourrez simplement écraser les aliments avec les dents d'une fourchette.

VARIANTES
Cette recette peut se préparer avec des aiguillettes de canard, la partie tendre du magret. Pour ajouter un petit côté « Noël », on peut ajouter aux marrons des baies rouges, par exemple 1 cuil. à café d'airelles, ou une poire coupée en morceaux et cuite à la vapeur. Vous pouvez aussi réduire uniquement la garniture en purée en mixant pommes de terre et marrons.

FACILE

Pour **1** portion
15 min de préparation
23 min de cuisson
Coût €

À partir de **9** mois • Type de repas : repas, viande

PARMENTIER À LA VIANDE DE BŒUF ET AU POTIRON

100 g de chair de potiron • 1 petite pomme de terre • 20 cl de lait • 1 pincée de noix muscade • 1 pincée de cannelle • 20 g de bœuf haché • 1 noisette de beurre • 20 g d'emmental râpé

Matériel
Mixeur ou presse-purée

1. Épluchez le potiron et retirez les fibres et les graines. Coupez la chair en petits dés. Épluchez la pomme de terre et coupez-la en petits dés.

2. Dans une petite casserole, mettez le lait avec les légumes, la muscade et la cannelle. Faites cuire à frémissements à feu moyen pendant 20 min.

3. Dans une petite poêle, cuisez la viande de bœuf dans la noisette de beurre.

4. Préchauffez le four à 210 °C (th. 7). Mixez grossièrement les légumes ou passez-les au presse-purée.

5. Beurrez un petit plat à gratin. Étalez-y la viande émiettée, et par-dessus, la purée potiron-pomme de terre. Parsemez d'emmental râpé.

6. Mettez au four et laissez gratiner 3 min jusqu'à ce que le fromage ait fondu.

7. Pour servir à bébé, transvasez le gratin dans son assiette, car le plat est bien trop chaud et dangereux pour ses petites mains.

PRODUIT
Essayez d'acheter la viande chez un boucher de confiance. Ainsi, pour la viande hachée, vous pouvez choisir un morceau entier, qui en principe sera frais et d'une bonne provenance. Seule une cuisson à cœur, indispensable jusqu'à 18 mois, détruira tous les microbes (même pour une viande réfrigérée seulement 24 h maximum ou congelée en petites portions).

CIANA
PHILIPPINE
NATHAN
AGATHE
MICKAËL
ALEXIA

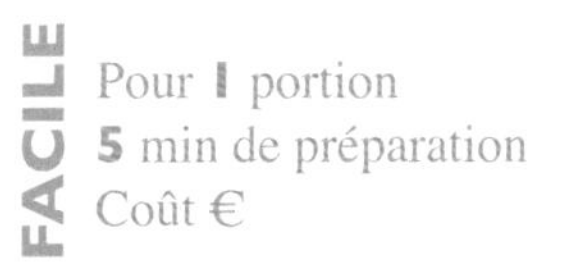

À partir de **9** mois • Type de repas : goûter, dessert

SOUPE DE FRAISES

150 g de fraises bio ou du jardin • 3 cm d'une gousse de vanille moelleuse • 1 pincée de sucre de canne • Quelques gouttes de jus de citron

Matériel
Mixeur

1. Mettez les fraises dans une passoire et passez-les rapidement sous l'eau. Coupez-les en petits morceaux.

2. Fendez la gousse de vanille en deux et grattez les graines sur 3 cm environ.

3. Dans le bol du mixeur, mettez les fraises avec les graines de vanille, le sucre et le citron. Mixez.

4. Servez dans le bol de bébé.

LE GOÛT
Vous pouvez faire cuire cette soupe (10 min dans une petite casserole couverte) et vous en servir comme coulis au fil des jours dans les laitages du goûter de bébé.

CONSERVATION
La soupe de fraises cuite se conserve dans un récipient hermétiquement fermé 48 h au frais.

FACILE

Pour **1** portion
10 min de préparation
20 min de cuisson
1 h de trempage
Coût €

À partir de **9** mois • Type de repas : goûter, dessert

GOÛTER YAOURT COMPOTE DE FRUITS SECS

2 pruneaux secs, moelleux et dénoyautés • 2 abricots secs moelleux • ½ banane séchée
10 cl d'eau • Quelques gouttes de jus de citron (facultatif) • 1 yaourt

1. Mettez les fruits secs dans un bol et couvrez-les d'eau chaude. Faites-les tremper 1 h.

2. Mettez les fruits égouttés et coupés en morceaux dans une petite casserole avec l'eau. Laissez frémir 20 min.

3. Quand tous les fruits sont tendres, c'est prêt. Ajoutez 3 cuil. à café de cette compote et éventuellement quelques gouttes de jus de citron au yaourt de bébé et faites déguster.

NUTRITION
Les fruits secs ont la même teneur en sucre que les fruits frais.

PRATIQUE
Vous pouvez vous organiser et mettre les fruits secs à tremper le matin pour le soir, ou la nuit, au réfrigérateur. Après ce plus long trempage, le temps de cuisson sera raccourci à 10 min.

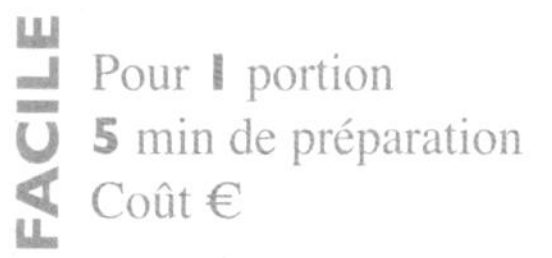

À partir de **12** mois • Type de repas : goûter

TARTINE FROMAGE-RAISINS

10 grains de raisin blanc • 20 g de fromage persillé : fourme d'Ambert ou roquefort • 50 g de fromage frais type St Môret® ou Kiri® • 1 tranche de pain de campagne ou 1 pomme

Matériel
Mixeur

1. Épluchez et épépinez les grains de raisin.

2. Mélangez-les aux deux fromages dans le bol du mixeur et mixez quelques instants.

3. Servez la préparation à tartiner sur des tranches de pomme ou de pain sans la croûte coupé en mouillettes.

NUTRITION
Contrairement aux idées reçues, les enfants aiment les fromages qui ont du goût. Les seules raisons d'en modérer la consommation sont leur forte teneur en sel ou les allergies qu'ils peuvent provoquer sur un terrain sensible.

FACILE

Pour 1 portion
5 min de préparation
Coût €

À partir de **9** mois • Type de repas : goûter, dessert

GOÛTER FROMAGE BLANC, FRAMBOISES, MENTHE

15 framboises • 2 feuilles de menthe fraîche • 150 g de fromage blanc onctueux • 1 cuil. à café de sucre roux ou de sirop d'érable

Matériel
Mixeur

1. Mettez les framboises dans une passoire et rincez-les rapidement sous l'eau courante.

2. Lavez les feuilles de menthe et, pour les sécher, pressez-les doucement dans un torchon propre plié en deux. Ciselez les feuilles finement.

3. Mettez tous les ingrédients dans le bol du mixeur. Mixez pendant 1 min.

VARIANTES

Au fil des saisons, cette recette se prépare aussi bien avec de la pomme, de la poire, des reines-claudes, des fraises ou des abricots. Ajoutez du sucre uniquement pour atténuer l'acidité du fruit utilisé.

FACILE
Pour **1** portion
20 min de préparation
20 min de cuisson
Coût €

À partir de **9** mois • Type de repas : goûter, dessert

MUFFINS AU RIZ

50 g de farine • 1 cuil. à soupe de sucre en poudre • 1 œuf • 20 g de beurre • 10 cl de lait • 1 tasse de riz cuit

1. Mélangez dans une terrine la farine et le sucre. Creusez un puits où vous mettez l'œuf entier.

2. Ajoutez la moitié du beurre fondu et travaillez jusqu'à obtenir une pâte homogène, sans grumeaux. Délayez avec le lait en fouettant de l'intérieur vers l'extérieur. Incorporez le riz et mélangez jusqu'à ce que les grains soient bien répartis.

3. Préchauffez le four à 220 °C (th. 7-8).

4. Versez la préparation dans des moules à muffins préalablement beurrés et farinés et enfournez pour 20 min de cuisson.

5. 5. Démoulez les muffins au sortir du four, et donnez-en un à bébé pour son goûter ou son petit déjeuner, tiède ou à température ambiante.

CONSERVATION
Les muffins se conservent plusieurs jours dans une boîte hermétique. Le lendemain, on peut parsemer un muffin de sucre de canne et le faire réchauffer quelques minutes au four afin de légèrement le caraméliser.

FACILE
Pour **2** portions
10 min de préparation
45 min de cuisson
Coût €

À partir de **12** mois • Type de repas : goûter, dessert

CRÈME À L'ABRICOT

3 abricots • 20 cl de lait • 1 cuil. à café de miel • 1 œuf

1. Lavez les abricots. Enlevez les noyaux.

2. Passez la chair au mixeur avec le lait, le miel et l'œuf.

3. Préchauffez le four à 150 °C (th. 5).

4. Versez le mélange dans des ramequins et mettez-les au bain-marie. Enfournez pour 45 min de cuisson.

VARIANTE
L'hiver, on peut préparer cette crème très simple avec de la mangue.

FACILE

Pour **10** mini-cakes
15 min de préparation
20 min de cuisson
Coût €

À partir de **12** mois • Type de repas : petit déjeuner, goûter, dessert

MINI-CAKES NOISETTE CHOCOLAT

150 g de beurre • 70 g de farine de blé T55 ou de crème d'avoine • 80 g de farine de noisette • ½ sachet de levure chimique • 1 cuil. à café de poudre de cacao pur • 3 œufs • 130 g de sucre de canne

1. Préchauffez le four à 180 °C (th. 6).

2. Faites fondre le beurre puis laissez-le refroidir à température ambiante. Dans un bol, mélangez les farines à la levure et à la poudre de cacao.

3. Dans un deuxième bol, cassez les œufs et mélangez-les au beurre et au sucre. Fouettez jusqu'à obtenir un mélange blanc et mousseux. Versez le premier mélange dessus et mélangez jusqu'à obtenir une pâte lisse.

4. Remplissez des petits moules à cakes aux deux tiers et enfournez pour 20 min de cuisson.

CONSERVATION

Ces petits cakes se gardent au moins une semaine dans une boîte hermétique.

NUTRITION

Pour le goûter, complétez avec un verre de lait ou un jus de fruits.

VARIANTES

Pour varier, on peut remplacer le cacao par de la vanille. Pour ajouter des fruits, remplissez chaque moule à moitié et déposez-y un petit morceau de pomme, de poire ou de pruneau par exemple.

- FAIT MAISON -

DE 12 à 24 MOIS

FACILE

Pour **1** portion
5 min de préparation
Coût €

À partir de **12** mois • Type de repas : goûter, dessert

LAIT DE POULE À LA FLEUR D'ORANGER

1 œuf extra-frais • 1 cuil. à café de sucre de canne • 1 cuil. à café d'eau de fleur d'oranger • 20 cl de lait de vache pasteurisé

1. Cassez l'œuf en séparant le blanc du jaune, jetez le blanc et ne conservez que le jaune, en éliminant le germe. Mettez-le dans un bol.

2. Ajoutez le sucre en poudre et battez au fouet.

3. Délayez avec l'eau de fleur d'oranger, puis avec le lait chaud ou froid. Donnez à boire au bol ou au biberon.

NUTRITION
Cette recette fortifiante vient de nos grands-mères. Elle est notamment riche en protéines et tonifiante.

TURTLE

À partir de **12** mois • Type de repas : petit déjeuner, goûter

BOUILLIE ET MILKSHAKE, VARIANTES

100 g de fromage blanc • 50 ml de lait • ½ cuil. à café de miel ou de sucre de canne

Printemps, été :
« Amandes, céréales, abricots »
2 abricots murs • 5 amandes émondées • 1 cuil. à soupe de flocons d'avoine

« Fruits rouges »
3 cuil. à soupe de framboise • 3 cuil. à soupe de fraises • 3 cuil. à soupe de myrtilles

Automne, hiver :
« Banane, pruneaux »
½ banane • 2 pruneaux secs dénoyautés

« Poire, noix »
1 poire mûre • 6 cerneaux de noix

Matériel
Mixeur

1. Mettez tous les ingrédients dans le bol du mixeur. Mixez et ajustez la consistance : liquéfiez avec un trait de lait ou épaississez avec 1 ou 2 cuil. de fromage blanc. Ajoutez le miel ou le sucre pour éventuellement rectifier l'acidité.

2. Faites déguster à bébé à la cuil. ou à la grosse paille, selon sa maturité et la consistance de la bouillie.

TECHNIQUE
Pour émonder des amandes, c'est très simple : portez de l'eau à ébullition et versez-la sur les amandes. Couvrez et laissez refroidir. Enlevez la pellicule.
Les amandes seront devenues souples et faciles à mixer.

FACILE

Pour **1** portion
5 min de préparation
15 min de cuisson
Coût €

À partir de **12** mois • Type de repas : entrée ou repas, œuf, féculent, céréale

ŒUF EN BRIOCHE

1 petite brioche nature • 1 cuil. à soupe de crème fraîche • 2 cuil. à soupe de coulis de tomate • 1 œuf frais • 2 brins de ciboulette

1. Préchauffez le four à 180 °C (th. 6).

2. Coupez le chapeau de la brioche et videz-la délicatement de sa mie à l'aide d'un couteau.

3. Mélangez la crème et le coulis de tomate. Badigeonnez l'intérieur de la brioche d'une cuillère de ce mélange. Versez-y l'œuf délicatement, et recouvrez avec le reste du mélange tomate-crème.

4. Glissez la brioche au four pour 15 min de cuisson avec le chapeau posé à côté afin qu'il puisse dorer. Lorsque le blanc d'œuf est saisi, c'est cuit.

5. Pendant ce temps, lavez et ciselez la ciboulette.

6. Posez cette « surprise » sur l'assiette de bébé après lui avoir remis son chapeau. Parsemez de ciboulette ciselée.

LE GOÛT

À 12 mois, bébé est attentif à son assiette et cet œuf en brioche est une véritable surprise visuelle. Aidez-le à manger à la cuillère le contenu, puis découpez la brioche restante en morceaux qu'il pourra manger à la main.

NUTRITION

Les protéines de l'œuf, les féculents de la brioche et les propriétés de la tomate font de cette brioche garnie un petit plat complet.

FACILE

Pour **1** portion
5 min de préparation
10 min de cuisson
30 min de repos
Coût €

À partir de **10** mois • Type de repas : repas, légumes

CAROTTES RÂPÉES AU JUS D'ORANGE

4 carottes nouvelles • 2 cuil. à soupe de jus de citron • Le jus de 1 orange • 1 pétale d'ail

Matériel
Cuiseur vapeur

1. Épluchez les carottes et râpez-les avec une râpe à trous moyens. Faites cuire les carottes au cuiseur vapeur pendant 10 min.

2. Dans un petit pot en plastique avec couvercle, ajoutez le jus de citron et le jus d'orange, le pétale d'ail et les carottes râpées.

3. Fermez hermétiquement et mélangez en secouant énergiquement.

4. Laissez les carottes s'attendrir dans cette marinade, 30 min au réfrigérateur.

LE GOÛT
Pour révéler les saveurs et attendrir les carottes, il est recommandé de préparer les carottes râpées quelques heures avant le repas, le matin pour le midi ou la veille pour le lendemain. N'oubliez pas de les garder au frais jusque-là.

FACILE

Pour **1** portion
10 min de préparation
10 min de cuisson
Coût €

À partir de **12** mois • Type de repas : repas, légume

ÉPINARDS SAUTÉS AU SÉSAME

200 g d'épinards frais • ½ cuil. à café d'huile d'arachide ou de sésame • ½ cuil. à café de jus de citron • 1 cuil. à café de graines de sésame • 1 cuil. à soupe d'eau

1. Lavez les épinards et retirez les queues et les côtes filandreuses.

2. Chauffez l'huile dans une poêle à feu moyen et ajoutez les feuilles d'épinards. Faites-les sauter quelques minutes en les retournant jusqu'à ce qu'elles soient translucides.

3. Ajoutez le jus de citron et les graines de sésame, et laissez cuire encore 5 min en ayant ajouté 1 cuil. à soupe d'eau. Servez aussitôt.

MENU

Ces épinards peuvent être servis avec une pomme de terre écrasée et un petit morceau de poulet ou de saumon rissolé dans la poêle après la cuisson des épinards.

FACILE

Pour 1 portion
10 min de préparation
Coût €

À partir de **15** mois • Type de repas : repas, céréales, légumes

SALADE MEXICAINE

1 cuil. café de mayonnaise maison • ½ yaourt nature • ½ cuil. à café de paprika doux • ¼ de poivron rouge • ½ tomate • 1 pomme de terre cuite • 3 cm de concombre épluché • 100 g de grains de maïs égouttés

1. Dans un bol, mélangez la mayonnaise avec le yaourt et la poudre de paprika.

2. Lavez le poivron et la tomate. Coupez-les en tout petits morceaux. Coupez la pomme de terre et le concombre en petits cubes. Égouttez les grains de maïs.

3. Ajoutez ces ingrédients à la sauce et mélangez. Servez à l'enfant.

MENU
Vous pouvez ajouter un petit morceau de poulet à cette salade ou une tranche de jambon coupée en petits morceaux.

LE GOÛT
Il n'est jamais utile de forcer bébé. S'il fait la grimace devant l'un des ingrédients, n'hésitez pas à le remplacer par un autre, et n'en faites pas un problème. Vous y reviendrez dans quelques semaines.

FACILE

Pour **1** portion
10 min de préparation
20 min de cuisson
Coût €

À partir de **12** mois • Type de repas : repas

CRÈME DE POTIRON AU LAIT DE COCO

150 g de chair de potiron • 100 g de patate douce • 1 pétale d'ail • 1 pincée de poudre de curry ou de colombo • 50 cl de lait de coco • 1 tranche de pain rassis • 1 cuil. à café d'huile d'arachide

Matériel
Mixeur

1. Coupez la chair de potiron et la patate douce en morceaux et faites-les cuire, à peine recouverts d'eau, dans une petite casserole pendant 15 min avec l'ail et l'épice.

2. Égouttez la moitié de l'eau que vous remplacez par le lait de coco et faites cuire pendant encore 5 min.

3. Pendant ce temps, découpez la tranche de pain en petits morceaux à l'aide de ciseaux.

4. Dans un poêlon, faites rissoler les croûtons dans l'huile en les retournant régulièrement.

5. Mixez la crème et versez dans le bol de bébé. Décorez de croûtons de pain dorés.

LE GOÛT
Si vous n'avez pas l'habitude d'utiliser des épices, pensez au curcuma ou à la cannelle qui se marient bien au potiron.

VARIANTES
On peut remplacer le potiron par du potimarron ou de la courge Butternut. On peut rissoler doucement des petits cubes de potiron cuit à la vapeur au préalable dans une noisette de beurre avec une pincée de cannelle. Ils peuvent remplacer les croûtons de pain et habituer bébé aux textures diversifiées.

AU FIL DES MOIS
À partir de 15 mois, on peut ajouter quelques petits morceaux de crevette.

FACILE

Pour 1 portion
5 min de préparation
14 min de cuisson
Coût €

À partir de 12 mois • Type de repas : repas, féculents

MINI-RAVIOLES AU BROCOLI

150 g de fleurs de brocoli • 70 g de ravioles de Romans au fromage • 1 œuf de caille • 1 cuil. à soupe de crème liquide • 1 cuil. à café de parmesan râpé

1. Lavez et découpez les fleurs de brocoli en petits bouquets. Faites-les cuire dans une petite casserole d'eau bouillante salée pendant 10 min.

2. Au bout de ce temps de cuisson, ajoutez les ravioles pour 4 min de cuisson.

3. Pendant ce temps, dans le bol de bébé, mélangez le jaune de l'œuf de caille à la crème.

4. Aussitôt égouttés, versez les ravioles et les brocolis sur le mélange jaune d'œuf et crème. Parsemez d'un peu de parmesan râpé, mélangez et servez.

AU FIL DES MOIS
À partir de 15 mois, on peut faire frire les ravioles à la poêle à feu moyen dans une noisette de beurre.

FACILE

Pour **1** portion (**6** portions de sauce)
20 min de préparation
20 min de cuisson
1 h de repos (pour la sauce)
Coût €

À partir de **15** mois • Type de repas : repas complet

POISSON ET LÉGUMES, AÏOLI AU YAOURT

Pour la sauce
1 gousse d'ail • 1 œuf • 1 cuil. à café de moutarde • 5 cl d'huile d'olive • 5 cl d'huile neutre (arachide ou colza) • Quelques gouttes de jus de citron • 10 cl de yaourt nature

½ pomme de terre • 1 carotte nouvelle • ½ cœur de 1 fenouil • 20 g de petits pois congelés • 50 g de poisson blanc : cabillaud, flétan, merlu, lieu

1. Épluchez et râpez la gousse d'ail après avoir retiré le germe.

2. Cassez l'œuf et séparez le blanc du jaune. Mettez le jaune dans un bol avec l'ail râpé, la moutarde, et mélangez à la cuillère en bois. Versez les huiles l'une après l'autre, en filet régulier tout en tournant pour monter la mayonnaise.

3. Lorsque la mayonnaise est ferme, ajoutez le citron, mélangez, puis le yaourt, et mélangez encore. Goûtez et rectifiez l'acidité au besoin en ajoutant encore un peu de jus de citron. Mettez au réfrigérateur pendant 1 h.

4. Épluchez la pomme de terre et la carotte et coupez-les en morceaux dans la longueur. Faites de même avec le fenouil.

5. Mettez tous les légumes dans une papillote et faites cuire à la vapeur pendant 15 min. ajoutez le poisson et faites cuire encore 5 min.

6. Servez les légumes et le poisson tièdes et nappez-les de 1 cuil. de sauce aïoli au yaourt.

TECHNIQUE
Pour réussir la mayonnaise, assurez-vous que tous les ingrédients sont à la même température : un œuf du réfrigérateur ou une bouteille de la cave, et la mayonnaise caillera au lieu de monter.

Love

FACILE

Pour **1** portion
10 min de préparation
12 min de cuisson
1 nuit de repos
Coût €

À partir de **15** mois • Type de repas : repas, poisson

PAVÉ DE SAUMON MARINÉ

40 g de saumon Label rouge avec la peau • Quelques gouttes de sauce soja légère • 1 pincée de sucre de canne • 3 gouttes de vinaigre doux (cidre, prune ou riz)

Pour la cuisson
½ cuil. à café d'huile neutre (arachide, colza)

1. La veille ou le matin pour le soir, mettez tous les ingrédients dans un pot en plastique avec un couvercle. Fermez hermétiquement et secouez. Conservez au réfrigérateur. Lorsque vous ouvrirez le réfrigérateur, pensez à secouer le pot, à une ou deux reprises, pour mélanger la marinade au poisson.

2. Au moment du repas, chauffez l'huile dans une petite poêle à feu moyen. Posez le morceau de poisson côté peau dans la poêle. Cuisez 7 min côté peau, et 5 min côté chair. Le poisson est cuit quand il se détache sous la pression des dents d'une fourchette.

3. Écrasez à la fourchette dans l'assiette de bébé.

LE GOÛT
Ce poisson se marie bien avec du riz blanc ou semi-complet et des épinards sautés au sésame.

国産有機

FACILE
Pour **1** portion
15 min de préparation
20 min de cuisson
Coût €

À partir de **18** mois • Type de repas : repas

FILET MIGNON, TARTE FINE DE POMMES DE TERRE

3 feuilles de brick • 1 noisette de beurre fondu • 2 petites pommes de terre • ½ échalote • 50 g de filet mignon ou de grillade de porc • 1 noisette de beurre • 1 cuil. à café d'huile d'arachide • La chair de 3 pruneaux

1. Préchauffez le four à 180 °C (th. 6).

2. Coupez des cercles d'environ 15 cm de diamètre dans les feuilles de brick. Beurrez-les et superposez-les sur un tapis ou une feuille de cuisson.

3. Épluchez les pommes de terre et coupez-les en deux dans le sens de la longueur, puis en très fines lamelles. Recouvrez les feuilles de brick avec les lamelles disposées en éventail. Enfournez pour 20 min de cuisson.

4. Pendant ce temps, hachez menu l'échalote. Faites saisir la viande et cuire l'échalote dans le mélange beurre et huile pendant 8 min. À la fin, ajoutez la chair de pruneaux et mélangez.

5. Lorsque la tarte fine de sort du four, dressez la viande au centre et servez à bébé.

NUTRITION
Comme pour toutes les viandes, il est recommandé de cuire le porc à cœur pour détruire les microbes qui auraient pu s'y développer.

FACILE

Pour **1** portion
15 min de préparation
32 min de cuisson
Coût €€

À partir de **15** mois • Type de repas : repas

FOIE DE VOLAILLE, ÉCRASÉ DE PATATE DOUCE

150 g de chair de patate douce • ½ échalote • 1 cuil. à café d'huile d'arachide • 30 g de foie de volaille • Les feuilles de 1 branche d'estragon • 1 pincée de curry en poudre • 50 g de fromage blanc ou de yaourt onctueux

1. Épluchez la patate douce et coupez-la en morceaux que vous faites cuire 20 min à la vapeur.

2. Pendant ce temps, émincez l'échalote et faites-la fondre dans l'huile pendant 5 min à feu moyen.

3. Ajoutez-y le foie et les feuilles d'estragon lavées et ciselées. Laissez cuire encore 7 min.

4. Dans un bol, écrasez les morceaux de patate douce avec le curry et le fromage blanc ou le yaourt à la fourchette.

5. Coupez le foie en petits morceaux et servez à bébé avec la purée.

LE GOÛT

Le foie de volaille et le foie de veau sont les plus fins, bien que leur chair n'ait pas tout à fait la même saveur ni la même densité. Selon la préférence de bébé, choisissez l'un ou l'autre, ou encore le foie de génisse, peu onéreux.

7

FACILE

Pour **1** portion
20 min de préparation
25 min de cuisson
Coût €

À partir de **15** mois • Type de repas : repas complet

RIZ AUX CREVETTES ET BANANE PLANTAIN

4 crevettes congelées crues • ½ échalote • 1 cuil. à café d'huile d'arachide • 30 g de riz blanc et sauvage mélangé • 1 pincée de poudre de curcuma ou de colombo • 10 cl d'eau • 1 banane plantain • 1 cuil. à café d'huile d'arachide

1. Faites décongeler les crevettes sur une assiette. Hachez menu l'échalote.

2. Dans un poêlon, faites rissoler l'échalote dans 1 cuil. d'huile à feu doux à moyen pendant 5 min. Ajoutez le riz et l'épice et remuez 5 min jusqu'à ce que le riz ait absorbé l'huile et devienne translucide. Ajoutez l'eau, couvrez et laissez cuire 5 min.

3. Pendant ce temps, décortiquez et retirez le petit boyau noir du dos de la crevette en fendant celui-ci sur toute la longueur avec la lame d'un couteau.

4. Émincez la banane et coupez chaque tranche en deux. Faites dorer les morceaux 4 min de chaque côté, jusqu'à ce que la chair de plantain soit tendre.

5. Retirez les morceaux de plantain et réservez. Remplacez par les crevettes et faites-les sauter à feu vif. Ajoutez un peu d'huile au besoin.

6. Versez le riz sur l'assiette de bébé et décorez de plantain et de crevettes.

LE GOÛT

Cette recette est originaire des îles, où la banane plantain complète le plat comme légume-féculent. Si vous avez un magasin d'aliments exotiques dans votre quartier, vous pouvez adopter cette coutume si bébé aime.

FACILE

Pour **2** petites galettes
10 min de préparation
10 min de cuisson
1 h de repos
Coût €

À partir de **15** mois • Type de repas : repas, céréales

GALETTE AU SARRASIN, VARIANTES

2 cuil. à café de farine ordinaire • 2 cuil. à café de farine de sarrasin • 1 pincée de sel • 1 œuf • 15 cl de lait • 1 petite tranche de jambon blanc découenné • Quelques gouttes d'huile • 1 noisette de beurre fondu • 2 cuil. à soupe de fromage râpé • 2 pincées de noix muscade râpée

1. Versez les farines avec la pincée de sel dans un bol. Cassez l'œuf au milieu et arrosez d'un trait de lait. Fouettez de l'intérieur vers l'extérieur en ajoutant le reste du lait petit à petit. Laissez reposer la pâte au frais jusqu'à l'utilisation ou à température ambiante 1 h maximum.

2. Coupez le jambon en petits morceaux.

3. Huilez une poêle d'environ 15 cm au pinceau et faites-la chauffer à feu vif. Versez-y une fine couche de pâte. Au bout de 3 à 5 min, la pâte sera saisie. Badigeonnez-la de beurre, puis retournez-la.

4. Répartissez la moitié du jambon et du fromage râpé et parsemez de noix muscade râpée. Repliez les bords pour obtenir une galette carrée permettant de découvrir la garniture.

5. Préparez une deuxième galette.

AUX CHAMPIGNONS

Émincez et faites sauter deux champignons dans la petite poêle avant de cuire la galette et réservez. On peut garnir la galette avec les champignons mélangés à une petite cuillère de crème fraîche et quelques feuilles de cerfeuil ciselées.

AUX LÉGUMES VERTS

Étalez quelques cuillères de purée de brocolis ou d'épinards liée avec une cuillère de fromage frais sur la galette.

FACILE
Pour **1** portion
20 min de préparation
1 h de repos
Coût €

À partir de **15** mois • Type de repas : petit déjeuner, goûter, dessert

TIRAMISU AU CASSIS

60 g de mascarpone • 50 g de fromage blanc • 1 cuil. à café de confiture de cassis • 1 œuf • 1 spéculoos à l'épeautre

1. Montez le mascarpone au fouet et mélangez délicatement avec le fromage blanc et 1 cuil. de confiture de cassis. Séparez le blanc du jaune de l'œuf et montez à part le blanc en neige. Incorporez délicatement le jaune d'œuf dans le mascarpone, et le blanc d'œuf pour finir.

2. Dans un sachet, écrasez le spéculoos en miettes.

3. Au fond d'un verre ou d'un gobelet adapté à bébé, mettez une couche de spéculoos. Ajoutez la moitié de la crème puis une deuxième couche de spéculoos. Terminez avec le reste de la crème et décorez de la deuxième cuillerée de confiture.

4. Mettez 1 h au frais avant de servir.

PRODUIT

Le mascarpone est une crème fraîche épaisse italienne qui convient parfaitement à cette recette.

NUTRITION

Ce dessert, assez riche en calories, est à considérer comme un dessert pris une fois par semaine, et non pas par exemple comme un laitage à donner chaque fin de repas.

- FAIT MAISON -

DE 24 à 36 MOIS

À partir de **18** mois • Type de repas : petit déjeuner, déjeuner, goûter, dîner, dessert

PÂTE À TARTINER, VARIANTES

Pâte à tartiner au miel
2 cuil. à soupe de beurre • 1 cuil. à soupe de miel • Quelques gouttes de jus de citron

1. Travaillez le beurre et le miel en pommade avec le jus de citron. Gardez au réfrigérateur dans un petit pot hermétiquement fermé.
2. Tartinez sur du pain de mie pour bébé.

Pâte à tartiner noisette citron
2 cuil. à soupe de poudre de noisettes • 1 cuil. à café d'huile de noisette • ½ cuil. à café de sucre de canne • ½ cuil. à café de zeste de citron • 1 cuil. à soupe de beurre

1. Travaillez tous les ingrédients en pommade avec le beurre. Gardez au réfrigérateur dans un petit pot hermétiquement fermé.
2. Tartinez sur du pain de mie pour bébé.

Pâte à tartiner à la carotte
2 cuil. à soupe de carotte en purée • Quelques gouttes de jus d'orange • 1 pointe de couteau de zeste d'orange • 1 cuil. à soupe de beurre

1. Écrasez finement la carotte et travaillez-la en pommade avec le jus, le zeste d'orange, et le beurre. Gardez au réfrigérateur dans un petit pot hermétiquement fermé.
2. Ce beurre se tartine et apporte de la saveur à une purée de légumes ou de pommes de terre.

Pâte à tartiner au maquereau
Les feuilles de 1 branche de persil • 2 cuil. de chair de maquereau cuite à la vapeur • Quelques gouttes de jus citron • 1 cuil. à soupe de beurre mou

1. Ciselez ou écrasez les feuilles de persil au pilon.
2. Écrasez finement la chair du maquereau et travaillez-la en pommade avec le persil, le jus de citron, et le beurre. Gardez au réfrigérateur dans un petit pot hermétiquement fermé.
3. Ce beurre se tartine en début de repas, avant un potage de légumes par exemple.

FACILE
Pour **1** portion
10 min de préparation
5 min de cuisson
Coût €

À partir de **24** mois • Type de repas : goûter, repas, légumes

ASSIETTE CLOWN

1 œuf • 1 petite tranche de saumon fumé • 1 tranche de pain de mie ou de campagne • Quelques feuilles de salade ou pousses d'épinards • 4 tomates cerise

1. Disposez dans l'assiette de bébé l'œuf brouillé et tous les ingrédients de manière à former une tête de clown.

IDÉE

Maintenant que vous avez la méthode, n'hésitez pas à trouver d'autres ingrédients et diversifier les figures dans l'assiette de bébé : fromage blanc, brousse ou ricotta, jambon, et morceaux de fruits comme la pomme, la poire ou la mangue.

FACILE

Pour **3** portions
15 min de préparation
15 min de cuisson
Coût €

À partir de **24** mois • Type de repas : repas complet

MINI-SANDWICHS MIMOSA

30 g de petits pois écossés frais ou congelés • 1 œuf • 1 avocat • 10 feuilles de menthe • 1 pincée de sel et 3 tours de poivre du moulin (fin) • ½ cuil. à café de vinaigre de vin • 6 tranches de pain de mie • 5 feuilles de laitue • 6 tomates cerise • 3 brins de ciboulette • 1 cuil. à café de graines de sésame

Matériel
Mixeur (facultatif)

1. Faites cuire les petits pois et l'œuf à la vapeur pendant 15 min. Refroidissez les petits pois dans une passoire sous l'eau courante. Faites de même avec l'œuf, et écalez-le sous le filet d'eau.

2. Dans un bol, mettez la chair d'avocat et les petits pois avec la menthe lavée et ciselée, le sel, le poivre et le vinaigre. Écrasez et mélangez à la fourchette pour obtenir une texture avec des petits morceaux, ou mixez pour obtenir une crème onctueuse.

3. Ôtez les croûtes du pain de mie. Coupez les feuilles de laitue en fines lanières. Lavez et coupez les tomates cerise en deux. Émiettez le jaune d'œuf avec les doigts et continuez avec le dos d'une fourchette à écraser le blanc et le jaune jusqu'à obtenir une texture sablée.

4. Tartinez la préparation à l'avocat sur un seul des côtés de toutes les tranches de pain. Placez des lanières de salade et répartissez les ⅔ de l'œuf mimosa sur 3 tranches. Recouvrez des 3 autres tranches tartinées.

5. Coupez les sandwichs en quatre et décorez chacun des mini-sandwichs d'une demi-tomate cerise tenue avec une pique, des brins de ciboulette et parsemez de graines de sésame. Mettez sur un plat et parsemez du reste de l'œuf mimosa.

LE GOÛT
Le thon se marie bien avec cette préparation. Afin d'ouvrir les tout petits à la saveur amère, non innée et qui s'acquiert en goûtant, les olives sont à essayer en décor des mini-sandwichs.

30

FACILE

Pour 1 portion
15 min de préparation
8 min de cuisson
Coût €

À partir de **24** mois • Type de repas : repas

LE BRUNCH DU DIMANCHE

½ banane • ½ mangue • ½ cuil. à café de sucre de canne • 1 cuil. à café de jus de citron • 2 œufs de caille • 1 carotte • 4 cuil. à soupe de ricotta ou cottage cheese • 1 pincée d'origan • Quelques brins de ciboulette • 1 cuil. à café d'huile d'olive • 2 grandes tranches de pain de mie

1. Coupez la banane et la mangue en cubes et mélangez-les avec le sucre et le jus de citron. Mettez au frais.

2. Préchauffez le four à 180 °C (th. 6).

3. Faites cuire les œufs de caille 4 min dans de l'eau bouillante. Épluchez-les et coupez-les en deux. Mettez au frais.

4. Râpez la carotte et mélangez-la au fromage avec l'origan et la ciboulette lavée et ciselée. Mettez au frais.

5. Au pinceau, passez un peu d'huile d'olive sur les tranches de pain des deux côtés. Enfournez pour faire toaster les tranches pendant 4 min.

6. Posez les toasts dorés dans une grande assiette. Étalez le fromage à la carotte râpée. Décorez avec les demi-œufs de caille. Dressez la salade de fruits autour des toasts.

LE GOÛT

Le brunch est le repas idéal pour initier l'enfant à toutes sortes d'aliments combinés. Il peut picorer et découvrir de nouvelles saveurs. Variez les façons de préparer ou présenter un même aliment refusé avant : avocat coupé en tranches présentées en éventail *versus* guacamole ont tous deux leur chance d'être refusé, ou accepté !

NUTRITION

Le brunch permet de facilement ajuster les quantités en fonction de l'appétit et des besoins de chaque enfant.

FACILE

Pour une vingtaine de crêpes
25 min de préparation
4 min de cuisson par crêpe
1 h de repos
Coût €

À partir de **18** mois • Type de repas : petit déjeuner, goûter, dessert

CRÊPES ROULÉES À LA CONFITURE

200 g de farine • 1 cuil. à café de sucre • 1 pincée de sel • 3 œufs • 50 cl de lait entier frais • 1 cuil. à café de beurre fondu

Pour la cuisson
Un peu d'huile ou 1 noisette de beurre par crêpe

Pour garnir
1 cuil. à café de confiture : myrtilles, fraises, abricot, pêche, figue,... • 2 cuil. à soupe de yaourt onctueux • ½ cuil. à café de sucre glace

1. Mettez la farine, le sucre semoule et le sel dans un saladier. Mélangez le tout à la main ou à l'aide d'une cuillère en bois.

2. Faites un puits dans la pâte et déposez-y les œufs entiers et 10 cl de lait. Mélangez au fouet en partant du centre afin d'obtenir une pâte sans grumeaux, et ajoutez progressivement le reste du lait.

3. À la fin, ajoutez le beurre fondu et recouvrez le saladier d'un film alimentaire. Laissez reposer au moins 1 h au réfrigérateur. Au moment de l'utiliser, mélangez la pâte au fouet. Allongez de quelques cuillerées d'eau ou de lait au besoin.

4. Pour la cuisson, faites chauffer la poêle ou crêpière à feu vif et graissez avec un peu d'huile au pinceau. Versez une petite louche de pâte (à ajuster, pour faire une crêpe de 15 cm de diamètre environ) que vous étalez en faisant pivoter la poêle.

5. Lorsque le dessous est doré et se détache facilement, badigeonnez la crêpe de beurre fondu avant de la retourner. Laissez dorer le deuxième côté beurré et glissez dans l'assiette.

6. Étalez la confiture et le yaourt. Saupoudrez de sucre glace et servez aussitôt.

LE GOÛT
Au gré des envies, proposez des crêpes avec de la confiture étalée ou simplement saupoudrées de sucre ou de cassonade. Du chocolat râpé ajoute une touche de gourmandise.

PRATIQUE
La crêpe peut aussi bien servir de base pour un petit déjeuner, un dessert ou un goûter. Il est utile d'investir dans une crêpière et une spatule en bois ou en silicone pour réussir les crêpes facilement. Les jeunes enfants qui aiment les crêpes, les aiment généralement jusqu'à l'adolescence.

FACILE

Pour **1** portion
15 min de préparation
4 min de cuisson
Coût €

À partir de **24** mois • Type de repas : goûter, dessert

BALLOTINS AU CHÈVRE FRAIS

4 gros grains de raisin blanc • 4 cuil. à soupe de fromage de chèvre frais • 2 cuil. à soupe de poudre d'amandes • 4 feuilles de brick • 1 cuil. à café d'huile d'olive • Quelques feuilles de salade tendres : laitue ou feuille de chêne • ½ pomme • Quelques gouttes de jus de citron • 1 cuil. à café d'huile de noisette

Matériel
Mixeur

1. Préchauffez le four à 210 °C (th. 7).

2. Lavez le raisin, coupez les grains en deux et épépinez-les. Mixez-les avec le fromage de chèvre et la poudre d'amandes jusqu'à obtenir une sauce épaisse.

3. Découpez la feuille de brick en deux, puis étalez-la sur une surface sèche. Répartissez un peu de mousse au fromage de chèvre sur chaque quart découpé et pliez-le pour en faire un petit ballotin. Au pinceau, passez un peu d'huile d'olive sur la pâte.

4. Enfournez pour 4 min. Dès que la pâte est dorée, retirez les ballotins du four.

5. Ciselez les feuilles de salade lavées. Épluchez et coupez la pomme en petits cubes et mélangez avec le jus de citron et l'huile de noisette. Ajoutez la salade ciselée.

6. Tapissez l'assiette de bébé avec la salade et posez les ballotins dessus.

LE GOÛT

Cette préparation maison est un bon prétexte pour varier l'alimentation des enfants : fromages et fruits, ou même viande, seront choisis en fonction des saisons et de votre inspiration.

FACILE
Pour **4** portions
20 min de préparation
35 min de cuisson
Coût €

À partir de **24** mois • Type de repas : potage

VELOUTÉ POIREAU, PETIT POIS, MIMOSA

1 poireau • 2 branches de persil • 3 pommes de terre • 1 oignon haché • 2 feuilles de laurier • 1 noisette de beurre • 10 cl de lait de vache ou d'amandes • 100 g de petits pois écossés frais ou congelés • 2 œufs • Sel et poivre du moulin • 1 noisette de beurre • 1 cuil. à soupe de crème fraîche ou de poudre d'amandes

Matériel
Mixeur

1. Lavez le poireau sous l'eau courante pour en enlever tout le sable après l'avoir raccourci d'un tiers, retiré les feuilles extérieures abîmées et après l'avoir fendu en deux aux deux tiers de sa longueur. Émincez-le en rondelles. Lavez le persil et séparez les feuilles des branches. Épluchez les pommes de terre et coupez-les en tranches.

2. Dans une cocotte, faites fondre l'oignon et le poireau avec les branches de persil et la feuille de laurier dans la noisette de beurre pendant 5 min.

3. Ajoutez les pommes de terre et le lait, puis ajoutez de l'eau jusqu'à recouvrir les légumes. Couvrez et laissez mijoter 10 min. Ajoutez les petits pois pour encore 10 min de cuisson.

4. Pendant ce temps, faites cuire les œufs 10 min. Rafraîchissez-les sous l'eau froide et écalez-les.

5. Avec une écumoire, retirez quelques petits pois de la cocotte et réservez-les. Écrasez les œufs durs ou passez-les dans une petite moulinette. Ciselez les feuilles de persil.

6. Mixez le potage après avoir retiré les feuilles de laurier et ajouté du sel et du poivre. Ajoutez la noisette de beurre et la crème ou la poudre d'amandes et mixez encore.

7. Versez dans les assiettes et décorez avec l'œuf mouliné, quelques petits pois et du persil ciselé.

AU FIL DES MOIS
Plus tard, vous pourrez couper tous les légumes en petits cubes et ne pas mixer le potage, cela préservera les fibres des légumes et favorisera la mastication.

FACILE

Pour **1** portion
25 min de préparation
4 min de cuisson
30 min de repos
Coût €

À partir de **24** mois • Type de repas : goûter, dessert

BEIGNETS DE FLEURS OU DE FRUITS

Pour la friture
½ l d'huile d'arachide ou de pépins de raisin

Beignets de fleurs
3 cuil. à soupe de farine • 1 pincée de levure chimique • ½ verre d'eau • 3 grappes de fleurs d'acacia • 1 cuil. à café de miel d'acacia • 1 cuil. à café d'eau de fleur d'oranger

1. Dans un bol, mélangez la farine et la levure, et ajoutez l'eau petit à petit tout en fouettant. Réservez au réfrigérateur.

2. À la campagne, coupez trois grappes en fleurs sur un acacia. Rincez rapidement les fleurs que vous faites sécher sur un torchon propre. Coupez les grappes en trois ou quatre, en fonction de leur grosseur.

3. Pendant ce temps, versez l'huile dans un petit wok, casserole ou friteuse que vous mettez sur le feu. Trempez une par une les grappes de fleurs dans la pâte et faites frire 1 à 2 min. de chaque côté.

4. Diluez le miel dans l'eau de fleur d'oranger. Dans l'assiette de bébé, posez les beignets lorsqu'ils ne sont plus brûlants, et arrosez du mélange miel-fleur d'oranger.

NUTRITION
Si lors de la cuisson des beignets, l'huile dépasse la couleur noisette, fume ou dégage une odeur âcre, il faut la jeter et recommencer la cuisson après avoir nettoyé le wok. Outre son mauvais goût, l'huile brûlée développe des composés chimiques néfastes pour la santé.

Beignets de fruits
3 cuil. à soupe de farine • 1 pincée de levure chimique • ½ verre d'eau • ½ pomme • ½ banane

1. Dans un bol, mélangez la farine et la levure, et ajoutez l'eau petit à petit tout en fouettant. Réservez au réfrigérateur.

2. Lavez et épluchez la pomme que vous coupez en lamelles épaisses d'environ 1 cm. Coupez la banane ou en 3 lamelles dans la longueur. Trempez dans la pâte et faites frire 1 à 2 min de chaque côté.

3. Mettez les beignets dans un plat recouvert de papier absorbant pour enlever le surplus d'huile.

FACILE

Pour **1** portion
20 min de préparation
7 min de cuisson
Coût €

À partir de **24** mois • Type de repas : repas complet, viande

PICCATA DE VEAU, AMANDES, CHEVEUX D'ANGE

1 escalope de veau de 40 g • 1 pincée de sel (on sale la viande en début de recette comme indiqué) • ½ citron non traité • 10 feuilles de petit basilic • 1 cuil. à soupe d'amandes effilées • 1 noisette de beurre • 1 cuil. à café d'huile d'olive • 1 cuil. à soupe de jus de citron • 40 g de cheveux d'ange (pâtes au blé dur) • 1 noisette de beurre

1. Affinez l'escalope en la battant avec un pilon. Si vous n'avez pas de pilon, vous pouvez demander à votre boucher d'aplatir l'escalope. Salez-la légèrement des 2 côtés. Prélevez le zeste du demi-citron. Lavez et ciselez les feuilles de basilic.

2. Mettez une poêle sur le feu. Quand elle est bien chaude, faites dorer les amandes dans la noisette de beurre, en les retournant régulièrement. À la fin, mélangez-y la moitié des feuilles de basilic. Retirez-les de la poêle et réservez.

3. Ajoutez l'escalope dans la poêle avec 1 cuil. d'huile d'olive et faites saisir 2 min à feu vif de chaque côté. Déglacez au jus de citron et parsemez de zeste. Retournez l'escalope et enrobez-la bien des sucs de cuisson.

4. Pendant ce temps, cuisez les pâtes dans une grande casserole d'eau salée bouillante pendant 3 min. Égouttez-les et ajoutez la noisette de beurre et la deuxième moitié des feuilles de basilic ciselées.

5. Coupez la viande puis servez la piccata avec les cheveux d'ange et parsemez d'amandes dans l'assiette de bébé.

FACILE

Pour 1 portion
20 min de préparation
30 min de cuisson
1 h à 1 nuit de repos
Coût €

À partir de **24** mois • Type de repas : repas, viande, féculents

TRAVERS DE PORC ET MAÏS

½ cuil. à café de miel • Quelques gouttes de sauce soja • ½ cuil. à café d'huile de sésame • 2 petits travers de porc • 1 cuil. à café d'huile • ½ épi de maïs • 1 noisette de beurre

1. Dans un récipient hermétique, mélangez le miel, le soja et l'huile de sésame. Ajoutez les travers de porc et fermez le récipient. Secouez et réservez au réfrigérateur pour au moins 1 h de marinade.

2. Au moment du repas, faites cuire les travers de porc soit au four préchauffé à 180 °C (th. 6) dans un plat huilé durant 20 min, soit à la poêle avec 1 cuil. d'huile en les retournant régulièrement pendant 15 min.

3. Faites cuire l'épi de maïs épluché dans une grande casserole d'eau pendant 20 min. Égouttez-le et coupez-le en deux.

4. Badigeonnez de beurre les morceaux de cônes de maïs. Servez avec les travers de porc.

LE GOÛT
Muni d'un tablier ou d'un grand bavoir, l'enfant peut manger à la main. Sa perception et son plaisir seront différents.

I DREAM
I AM A MOUSE
OR DOES THE MOUSE
DREAM HE IS
ME?

FACILE

Pour **1** portion
15 min de préparation
40 min de cuisson
15 min de repos
Coût €

À partir de **24** mois • Type de repas : repas, viande, féculents

RÔTI DE BŒUF, PURÉE DE CHAMPIGNONS

2 pétales d'ail • 1 noisette de beurre • 1 tour de poivre du moulin • 40 g de rôti de bœuf • 1 pomme de terre • 6 champignons de Paris • 1 noisette de beurre • 1 cuil. à café de crème fraîche • 1 cuil. à café de jus de citron

1. Coupez et écrasez les pétales d'ail sous le plat d'un couteau. Dans une assiette, mélangez cet ail au beurre avec un tour de poivre fin. Recouvrez la viande de ce mélange aromatique et laissez infuser 15 min.

2. Pendant ce temps, épluchez la pomme de terre que vous découpez en morceaux et mettez à cuire à la vapeur pendant 20 min.

3. Lavez, puis coupez les champignons en brunoise. Faites-les suer à feu vif dans une poêle à sec pendant 4 min, puis à feu doux avec une noisette de beurre pendant encore 6 min. Retirez les champignons de la poêle pour y placer la viande à cuire 5 min de chaque côté sur feu moyen.

4. Lorsque la viande est cuite, coupez-la en petits morceaux dans l'assiette. Ajoutez-y les morceaux de pommes de terre écrasés.

5. Dans la poêle, toujours sur le feu, remettez les champignons avec la crème fraîche et le jus de citron. Mélangez pour décoller les sucs de cuisson et versez dans l'assiette de bébé à côté du rôti et de l'écrasé.

FACILE

Pour **1** gâteau de **8** personnes
50 min de préparation
20 min de cuisson
Coût €

À partir de **24** mois • Type de repas : goûter, dessert

MON GÂTEAU D'ANNIVERSAIRE

60 g de beurre • 70 g de farine • 70 g de fécule de maïs • 20 g de cacao en poudre • 5 g de levure chimique • 3 œufs • 80 g de sucre • 120 g de yaourt onctueux

Pour le décor
1 morceau de pâte d'amande nature • 5 gouttes de colorant alimentaire jaune • 5 gouttes de colorant alimentaire rouge • Sucre glace

Pour la chantilly au chocolat
50 cl de crème fraîche • 1 cuil. à soupe de sucre glace • 1 pincée de sel • 20 g de cacao en poudre

1. Beurrez et farinez un moule rond de 18 cm de diamètre. Préchauffez le four à 180 °C (th. 6).

2. Faites fondre le beurre et laissez-le refroidir, en évitant qu'il durcisse. Au-dessus d'un saladier, tamisez la farine, la fécule de maïs, le cacao et la levure.

3. Dans un deuxième saladier, cassez et battez les œufs. Ajoutez le sucre, battez jusqu'à obtenir une pâte mousseuse, puis ajoutez le yaourt. Intégrez ce mélange dans le premier en mélangeant à la spatule.

4. Ajoutez le beurre fondu et mélangez. Versez la pâte dans le moule et enfournez pour 20 min. Vérifiez la cuisson en piquant avec la pointe d'un couteau qui doit ressortir sèche. Démoulez et laissez refroidir le gâteau sur une grille.

5. Divisez le morceau de pâte d'amande en deux. Colorez chaque part en incorporant les colorants alimentaires. Pétrissez pour bien répartir et obtenir du rose et du jaune pâle.

6. Parsemez le plan de travail et un rouleau à pâtisserie de sucre glace. Étalez chaque pâte sur quelques millimètres d'épaisseur et découpez des ronds à l'aide d'un petit emporte-pièce circulaire ou de l'arrière d'une douille ronde.

7. Montez la crème en chantilly avec le sucre glace et la pincée de sel, au fouet ou au robot. Puis ajoutez le cacao petit à petit. Mettez délicatement la chantilly dans une poche à douille lisse. Avec un geste souple, décorez le gâteau et servez la chantilly restante dans un bol à part. Alternez la décoration du gâteau avec des ronds de pâte d'amande colorés.

ASTUCE
Si le gâteau doit attendre un peu, il vaut mieux le mettre au réfrigérateur.

VERSION PLUS RAPIDE
Vous pouvez remplacer le décor en pâte d'amande par des mini-meringues colorées achetées. La chantilly au cacao peut être remplacée par un glaçage de quelques carrés de chocolat fondu avec 2 cuil. à soupe de crème fraîche, que vous faites couler sur le gâteau.

FACILE
Pour **1** verre
10 min de préparation
Coût €

À partir de **24** mois • Type de repas : boisson

LIMONADE MAISON, VARIANTES

Ingrédients pour une boisson pétillante acidulée
1 cuil. à café de jus de citron vert • ½ cuil. à café de sucre de canne ou de sirop d'agave • ½ verre d'eau pétillante • ½ verre d'eau minérale

Ingrédients pour une boisson pétillante rose
1 cuil. à café de jus de citron vert • 1 cuil. à café de sirop d'eau de rose ou de grenadine • ½ verre d'eau pétillante • ½ verre d'eau minérale

Ingrédients pour une boisson tonique
1 cuil. à café de jus de citron vert • 1 cuil. à café de sucre vanillé • 1 pointe de couteau de gingembre râpé • ½ verre d'eau pétillante • ½ verre d'eau minérale • 1 branche de menthe

1. Mélangez tous les ingrédients bien frais. Pour la recette au gingembre, laissez infuser celui-ci 10 min et filtrer avant de servir.

2. Décorez avec une branche de menthe.

NUTRITION
La limonade maison présente plusieurs avantages : elle permet de maîtriser la quantité de sucre et d'assurer la naturalité des boissons données aux enfants. D'autre part, elle évite l'achat systématique de canettes, ce qui est intéressant d'un point de vue budgétaire et écologique.

- MESURES & ÉQUIVALENCES -

MESURER LES INGRÉDIENTS

INGRÉDIENTS	1 cuil. à café	1 cuil. à soupe	1 verre à moutarde
Beurre	7 g	20 g	-
Cacao en poudre	5 g	10 g	90 g
Crème épaisse	1,5 cl	4 cl	20 cl
Crème liquide	0,7 cl	2 cl	20 cl
Farine	3 g	10 g	100 g
Liquides divers (eau, huile, vinaigre, alcool)	0,7 cl	2 cl	20 cl
Maïzena®	3 g	10 g	100 g
Poudre d'amandes	6 g	15 g	75 g
Raisins secs	8 g	30 g	110 g
Riz	7 g	20 g	150 g
Sel	5 g	15 g	-
Semoule, couscous	5 g	15 g	150 g
Sucre en poudre	5 g	15 g	150 g
Sucre glace	3 g	10 g	110 g

MESURER LES LIQUIDES

1 verre à liqueur = 3 cl

1 tasse à café = 8 à 10 cl

1 verre à moutarde = 20 cl

1 mug = 25 cl

POUR INFO

1 œuf = 50 g

1 noisette de beurre = 5 g

1 noix de beurre = 15 à 20 g

RÉGLER SON FOUR

Température (°C)	Thermostat
30	1
60	2
90	3
120	4
150	5
180	6
210	7
240	8
270	9

- TABLE DES RECETTES -

M

O-P

R

S

T

V

- TABLE DES MATIÈRES -

- FAIT MAISON -

Déjà parus

-FAIT MAISON-

d'ailleurs

Déjà parus

REMERCIEMENTS

Claire pour ses jolies lumières sur les images du livre.

Garlone, la fée des ambiances qui a attendu le dernier jour des prises de vue pour mettre au monde Victor.

Lisa qui, dès sa sortie, pourra faire un merveilleux usage de l'ouvrage.

Je remercie aussi Céline, Christelle et Romuald avec qui nous nous penchons sur les repas des bébés depuis maintenant trois ans en toute complicité.

Et pour avoir été à l'origine de ma vocation dès sa naissance, ma fille Joséphine.

Et pour finir, ma fille Lucille, complice et gourmande en cuisine comme à table !

Laura Annaert, Mamanchef.

Garlone Bardel remercie :
www.petit-bateau.fr : pp. 37, 41, 47, 51, 63, 95, 99, 101, 109, 135, 143, 147, 177 ;
www.smallable.com: pp. 21, 57, 67, 85, 119, 121, 135, 141, 151, 157, 165, 177, 183;
www.numero74.com : pp. 47, 83, 115, 175; www.lebonmarche.com: pp. 17, 103, 153, 167 ;
www.bonpoint.com : pp. 25, 29, 63, 69 ; www.madamemo.com : pp. 43, 91, 97, 113, 117, 137, 155 ;
www.annakabazaar.com pp. 107, 129 ; www.lepetitatelierdeparis.com : p. 75 ;
mademoiselleaime, 52, rue Raymond-du-Temple, 94300 Vincennes : p. 131

Remerciements chaleureux à la propriétaire de la chaise haute hollandaise qui nous a très gentiment mis cette belle pièce à disposition pour la réalisation des photos.

Merci à Clémentine Donnaint pour son aide.

43, quai de Grenelle – 75905 Paris, Cedex 15

Direction : Catherine Saunier-Talec
Responsable éditoriale : Anne la Fay
Responsable de projet : Anne Vallet
Conception intérieure et couverture : Salah Kherbouche
Responsable artistique : Antoine Béon
Correction : Claire Fontanieu
Réalisation intérieure : Les PAOistes
Fabrication : Amélie Latsch
Responsable partenariats : Sophie Morier (smorier@hachette-livre.fr)

Dépôt légal : janvier 2014
23-11-1685-01-9
ISBN : 978-2-01-231685-0
Impression : Cayfosa, Espagne